W9-CTY-899

Octobre 2016

DU MÊME AUTEUR

Aux Éditions Gallimard

LA BLOUSE ROUMAINE, *roman* (« L'Infini », « Folio », n° 5062).

EN TOUTE INNOCENCE, *roman* (« Folio », n° 3502).

À VOUS, *roman*. Édition revue par l'auteur en 2003 (« Folio », n° 3900).

JOUIR, *roman* (« Folio », n° 3271).

LE PROBLÈME AVEC JANE, *roman* (« Folio », n° 3501). Grand Prix des lectrices de *Elle* 2000.

LA HAINE DE LA FAMILLE, *roman* (« Folio », n° 3725).

CONFESSIONS D'UNE RADINE, *roman* (« Folio », n° 4053).

AMOURS TRANSVERSALES, *roman* (« Folio », n° 4261).

UN BRILLANT AVENIR, *roman* (« Folio », n° 5023). Prix Goncourt des lycéens 2008.

INDIGO, *roman* (« Folio », n° 5740). Prix littéraire d'Arcachon 2013.

UNE ÉDUCATION CATHOLIQUE, *roman* (« Folio », n° 6072).

Aux Éditions du Mercure de France

NEW YORK, JOURNAL D'UN CYCLE, *récit* (« Folio », n° 5279).

Aux Éditions Champion

LES ROMANCIERS DU PLAISIR, *essai*.

Aux Éditions Dialogues

LE CÔTÉ GAUCHE DE LA PLAGE. Illustrations d'Alain Robet.

L'AUTRE QU'ON ADORAIT

CATHERINE CUSSET

L'AUTRE
QU'ON ADORAIT

roman

GALLIMARD

© *Éditions Gallimard, 2016.*

Pour Vlad et Claire

Une personne n'est pas, comme je l'avais cru, claire et immobile devant nous avec ses qualités, ses défauts, ses projets, ses intentions à notre égard (comme un jardin qu'on regarde, avec toutes ses plates-bandes, à travers une grille), mais est une ombre où nous ne pouvons jamais pénétrer, pour laquelle il n'existe pas de connaissance directe, au sujet de quoi nous nous faisons des croyances nombreuses à l'aide de paroles et même d'actions, lesquelles les unes et les autres ne nous donnent que des renseignements insuffisants et d'ailleurs contradictoires, une ombre où nous pouvons tour à tour imaginer avec autant de vraisemblance que brillent la haine et l'amour.

MARCEL PROUST

PROLOGUE

22 avril 2008

Phil Miller tapotait le micro, tout le monde s'est tu. Les discours ont commencé. Quand il a prononcé son nom, Nora s'est avancée, les pommettes roses sous les applaudissements. Elle a reçu son prix, accompagné d'un chèque de sept cents dollars qui seraient bien utiles si elle t'accompagnait en France cet été. Le professeur Miller a esquissé le geste de lui serrer la main puis s'est ravisé, s'approchant d'elle pour l'embrasser sur les joues – *à la fwançaise.* Il était plus petit qu'elle et Nora a dû retenir un rire au souvenir du surnom que tu lui donnais : le gnome. Le chaleureux sourire d'Evelyn au premier rang compensait l'absence de ses parents, qui n'avaient pu quitter la ferme et ne comprenaient pas ce qu'étudiait depuis quatre ans leur boursière de fille. De la recherche en littérature ? On ne faisait quand même pas des vaccins avec des mots ? Ils ne t'avaient jamais rencontré : ils t'auraient pris pour un martien.

Depuis l'estrade, Nora a cherché ta silhouette dans le groupe compact des professeurs et des élèves. Tu n'étais pas là. Avec ton mètre quatre-vingt-dix, elle t'aurait repéré même au dernier rang.

Tu avais promis de venir, même si tu détestais ton patron et ces cocktails de fin d'année où tu t'ennuyais comme un rat mort. T'étais-tu vexé parce qu'elle n'avait guère protesté hier soir quand tu lui avais dit que tu préférais rester seul pour corriger ces kilos de copies extrêmement en retard ? Ou, comme Evelyn le supposait, dormais-tu encore parce que tu avais fini par prendre un somnifère vers midi après avoir travaillé toute la nuit ?

Dès la fin des discours les deux femmes se sont éclipsées sans prendre un verre avec les professeurs qui félicitaient la jeune fille et Evelyn qu'on prenait pour sa mère. Elles ont filé chez Nora qui avait laissé la clef dans son sac de la veille, puis sont allées chez toi dans la voiture d'Evelyn.

Elles ont monté les deux étages et frappé. « Thomasss ! » criait Evelyn, et Nora : « Thomas ! » Elles étaient nerveuses, bien sûr, même si la répétition atténuait l'inquiétude. Dix jours plus tôt Nora s'était affolée : tu ne répondais à aucun message depuis deux jours. Elle avait débarqué chez toi et t'avait trouvé au lit, hébété par l'alcool.

Nora a introduit la clef et l'a tournée dans la serrure ; Evelyn s'est arrangée pour passer devant afin de la précéder dans la chambre. Jetant un coup d'œil sur la droite, elle a vu au bout du couloir, par l'ouverture du salon, tes grandes jambes.

« Il est là ! »

Soulagement infini dans sa voix. Tu étais donc assis sur le futon en train de lire ou de travailler ; tu n'entendais pas leurs appels parce que tu avais sûrement les écouteurs sur les oreilles et la musique à fond. On ne pense pas aux explications les plus simples. Mais le pire est vrai, parfois : elle était payée pour le savoir.

En trois pas elles sont arrivées au salon. Evelyn a vu la première ton corps renversé sur le futon, rigide, et le sac sur ta tête. Les copies des étudiants étaient répandues à tes pieds. Elle s'est retournée pour empêcher Nora d'avancer.

PREMIÈRE PARTIE

TRIANGLES

I

Nicolas, lui...

Le 6 décembre 86, vous êtes dans l'immense cortège qui traverse Paris comme un fantôme et qui s'est formé spontanément depuis que la nouvelle s'est répandue ce matin comme une traînée de poudre. Vous êtes entourés d'une foule de garçons et de filles guère plus âgés que vous et tout aussi graves, avec qui vous scandez un slogan :

« L'É-tat a-ssa-ssin ! L'É-tat a-ssa-ssin ! »

Depuis une semaine vous hurlez des slogans et conspuez des ministres. Aujourd'hui ce n'est plus un jeu. L'excitation des jours derniers a fait place à une colère et une ferveur presque spirituelles.

Tu as dix-sept ans. Malik en avait vingt-deux. Il était étudiant, comme toi. Il ne participait même pas aux manifestations, il n'était pas engagé : il sortait d'un club de jazz quand le bataillon de voltigeurs motocyclistes est arrivé rue Monsieur-le-Prince et que les manifestants se sont enfuis par la rue Racine. Les voltigeurs motocyclistes : à deux sur une moto, le premier fonce, le second distribue des coups de matraque sans se soucier des dégâts. Ils sont supposés chasser les casseurs, ceux qui profitent du désordre social et des manifestations pacifiques pour foutre le bordel, mais c'est le prétexte officiel : il s'agit de massacrer du Black et du basané. France raciste. On a appris ce matin que Malik Oussekine souffrait d'une insuffisance rénale, et la police prétend maintenant qu'il n'est pas mort des coups donnés par les flics déchaînés mais de sa maladie. Il y a même eu un ministre pour se permettre ce commentaire : « Si j'avais un fils sous dialyse, je l'empêcherais d'aller faire le con. » Indécence française de ce petit ton paternaliste, déni de ses responsabilités, absence d'empathie.

« Si avec tout ça, on ne gagne pas… » dit Nicolas.

Vous qui êtes l'élite de la France, vous vous êtes enflammés contre l'idée de sélection et l'augmentation des frais d'inscription à la fac qui allaient séparer encore un peu plus la France des riches de celle des pauvres. En sortant des cours vous avez distribué des tracts et *Lutte ouvrière*. Vous prenez au sérieux l'étiquette de trotskistes que vous vous êtes collée sur le front. Le 23 novembre vous étiez dans la rue avec les grévistes pour lutter contre le projet Devaquet, prêts à en découdre avec les fascistes de la rue d'Assas qui ont débarqué avec des barres de fer. Vous étiez dans la foule qui a remonté le boulevard Saint-Michel, suivie par les sirènes de police et des camions CRS, et quand les gaz lacrymogènes et les tirs tendus ont commencé à disperser la foule, vous avez couru, le cœur battant. Quatre jours plus tard vous étiez cinq cent mille et, le 4 décembre, un million d'étudiants, de lycéens et de salariés à descendre de la Bastille aux Invalides : de Caen à Toulouse la France se soulève, et vous faites partie de ce souffle nouveau qui révolutionne le pays comme en mai 68. Vous n'avez jamais rien vécu d'aussi exaltant.

« Pan-draud, ce sa-laud ! »

Toi qui sais ce qu'est la maladie, tu t'imagines pris en chasse, courant de toutes tes forces, à bout de souffle, convainquant un fonctionnaire en costume qui compose le code de son immeuble de te laisser entrer dans le hall, poursuivi par la police jusque-là, acculé dans un angle, bourré de coups de matraque et de coups de pied dans la tête et le ventre tandis que tes mains tentent de protéger ton visage, que tu les supplies d'arrêter et que tu pisses de peur. À trois contre un.

Ecce Homo.

Ton écœurement redouble à l'idée que ces policiers seront protégés par leur hiérarchie. Ils perdront des galons peut-être, seront mutés, mais iront-ils en prison ?

« Thomas, t'as du shit ? »

Comme d'habitude Nicolas a oublié ses réserves. Vous vous roulez un joint que vous partagez avec vos voisins les plus proches.

Quelques jours plus tard la première page de tous les journaux annonce la nouvelle : Devaquet a démissionné et Chirac a retiré le projet de loi. Vous levez le poing en l'air, vous vous embrassez, vous criez de joie. Vous avez gagné.

En janvier tu as dix-huit ans. La politique n'est plus au centre de ta vie.

En février Nicolas et toi partez skier en Autriche, dans un petit appartement qui appartient à une amie de ta mère. Vous dévalez les montagnes, ivres de grand air, avant de vous enivrer le soir du vin plutôt très bon que vous avez trouvé dans le placard. Tu te sens plus proche de Nicolas que tu l'as jamais été de quiconque, peut-être même de Sébastien, ton grand ami depuis la sixième. Vous avez la même passion pour les néologismes et les onomatopées. Tu n'as rencontré personne avec qui tu puisses rire aussi longtemps. Un esprit aussi libre et ironique dans un visage de bébé. Il est mignon, Nicolas, avec ses fossettes, ses taches de rousseur, ses cheveux bouclés et ses yeux gris-vert qui ne sont plus que des fentes quand il éclate de rire. Il a quelques côtés pénibles : chaque fois que vous allez au café, il a oublié son portefeuille, il faut payer pour lui. Il fait des pets qui te forcent à ouvrir en urgence la fenêtre de ta chambre tandis qu'il s'étouffe de rire. Défauts mineurs. Il vient chez toi après les cours et rencontre ta mère, qui le trouve charmant ; ta sœur, qu'il trouve charmante. Tu remarques que tout son corps se tend quand la porte d'entrée claque et qu'il entend sa voix, et qu'il se glisse dans sa chambre dès qu'il le peut pour aller bavarder.

Tu vas chez lui aussi. Sa mère juive, juge, d'une élégance sans pareille, et ta mère fille de concierge qui, grâce au goût de la lecture et au mariage avec ton père, est passée de la loge au cinquième étage de l'immeuble, ont cela de commun qu'elles ont toutes les deux un grain, bourgeoises anticonformistes, décalées, passionnées, lectrices voraces. Chez Nicolas ou chez toi, les dîners avec la mère de l'un ou de l'autre se passent en discussions intellectuelles à n'en plus finir et en inextinguibles rires.

Allongés par terre dans ta chambre, vous écoutez The

Cure ou, en chantant à tue-tête, Ferré, Reggiani, Brel, Dutronc et Serge Gainsbourg. Vous chantez aussi faux et fort l'un que l'autre, vous hurlez en imitant les mimiques faciales du vieux Léo aux tempes grisonnantes que vous avez vu à la télévision, et son poing qui s'abat quand il bute sur le mot « peinard » : *Avec le temps… Avec le temps va, tout s'en va / Et l'on se sent blanchi comme un cheval fourbu / Et l'on se sent glacé dans un lit de hasard / Et l'on se sent tout seul peut-être mais… peinard ! / Et l'on se sent floué par les années perdues…* Vous partagez des joints aux effets exquis. Vous lisez Hegel, Kant, Wittgenstein, Derrida, Blanchot, Genette, Starobinski, Mallarmé et Lautréamont. Vous écrivez des dissertations de dix ou vingt pages sur de grandes feuilles quadrillées que tu remplis de pattes de mouche et Nicolas de grosses boucles très serrées. Votre prof de philo vous déteste également. Il vous a donné pour sujet : « Le Réel. » Vous en avez discuté pendant des heures. Vous avez cité Plotin, Platon et Trotski. Vous avez obtenu respectivement 4 et 5 sur 20. Vous allez voir les films de Tarkovski, Buñuel, Pasolini, Bergman, Fellini, Truffaut, Ozu, Kurosawa et d'autres moins connus. Vous vous glissez dans un cinéma X où se donne *Caligula,* extatiques quand une femme se fait lécher par un chien. Vous allez avec Sébastien à des concerts de rock, The Cure à Bercy, The Divine Comedy. Vous passez des nuits blanches à discuter sur des bancs et à refaire le monde après la fermeture du métro. Vous découvrez la beauté de Paris la nuit. Vous vous savez très intelligents, futurs écrivains, champions universels du baratin, du joint et de la déconnade.

L'année suivante vous êtes toujours amis, vous traînez dans les rues en sortant des cours et vous jouez au flipper, mais quelque chose a changé. Il y a Sibylle entre vous, Sibylle dont tu es amoureux et qui te préfère Nicolas. Sans que rien soit dit, vous vous éloignez l'un de l'autre. Un mur invisible se dresse entre vous. Vous n'allez pas skier ensemble.

C'est avec une femme plus âgée que tu perds ta virginité. Une vieille de trente-cinq ans seule devant son verre de vin blanc, que tu as rencontrée dans un bar de Montparnasse en sortant d'un cinéma. Ses yeux se sont posés sur toi. Tu n'as pas cillé. Tu as senti la possibilité d'entrer dans un roman d'Huysmans, de Drieu la Rochelle ou de Radiguet. Quand elle t'a abordé, tu as répondu du tac au tac. Elle t'a payé une coupe de champagne. Tu l'as suivie dans son immeuble moderne derrière la gare Montparnasse. Elle ne s'est pas rendu compte de ton inexpérience. La chose était si agréable que vous l'avez renouvelée trois fois dans la nuit. Il était clair dans ton esprit que le plaisir de la chair n'était pas lié à l'amour. Elle avait des épaules rondes et veloutées, un cul voluptueux. Au matin tu étais différent de tes camarades et de Nicolas, ce puceau.

Nicolas a formé un petit groupe de travail auquel il ne t'a pas convié. Il s'est mis à bosser. Un jour de juin vous apprenez les résultats de l'écrit. Sibylle, Nicolas, Franck et Jean-Marc, qui ont travaillé ensemble, sont tous admis à passer l'oral. Pas toi. Tu es en vacances. Tu glandes dans Paris tandis que tes camarades préparent leurs oraux. Nicolas et Sibylle les réussissent. Ils franchissent les portes du paradis. Normaliens. Ils vont recevoir cinq mille francs par mois de l'État français pendant quatre ans. Payés à se balader, voyager, lire, tandis que tu continueras ton bachotage. Ta mère qui s'est battue contre ton père pour qu'il te laisse étudier la littérature alors que tu avais de telles facilités pour les maths est déçue. Et en colère.

« Nicolas, lui… », dit-elle.

En colère contre Nicolas, contre toi qui ne t'es pas méfié de lui. C'est Nicolas, dit-elle, qui t'a entraîné dans les cafés et qui t'a fait perdre ton temps. Quand il s'est mis au travail, il s'est gardé de te prévenir. Pourquoi a-t-il été reçu et pas toi ? Il n'est pas plus intelligent que toi.

En juillet vous avez prévu de faire un grand voyage en Espagne et en Italie à quatre ou cinq copains. Nicolas a emprunté la R5 de sa mère. Tu n'as pas ton permis : avec tes grands gestes maladroits, tu sens qu'une voiture serait ton cercueil. Nicolas conduit, Sibylle assise à côté de lui, Franck et toi installés à l'arrière comme les enfants du couple. Franck ne cesse de parler et tente de te dérider. Tu aimes bien Franck, c'est un bon bougre, mais tu te tais, les yeux fixés sur les nuques de Nicolas et Sibylle. Tu ne ris même pas quand cet idiot de Nicolas verrouille les portières en laissant les clefs à l'intérieur, et que la seule solution consiste à découper avec un canif le toit ouvrant de la voiture de sa mère. Tu te tiens à part, un rictus aux lèvres. Nicolas, un instant catastrophé, est déjà plié en deux. L'assurance paiera.

Ton humeur est massacrante. Tu es incapable de plaisanter et de partager les rires de groupe. Cette Espagne et cette Italie que tu te faisais une joie de découvrir, tu n'en as cure. Ton mutisme n'est qu'une pâle image de ce que tu ressens, de ce nuage qui monte en toi et recouvre tout comme la lave d'un volcan sans que tu puisses rien faire qu'assister au spectacle de ta dissolution. Tu n'as jamais rien senti de pareil. Ce n'est pas la jalousie, puisque ta morosité perdure même après que vous avez passé la frontière et laissé Sibylle dans la maison familiale du sud de la France pour embarquer Jean-Marc venu vous retrouver en train de Paris. Après avoir essayé de te dérider par tous les moyens, tes copains t'accusent de gâcher leurs vacances avec ta tête d'enterrement. Un soir, sur un marché de Florence, ils instituent un tribunal. Ils votent ton exclusion du voyage. Ils te laissent sur le parvis de la gare avec ton bagage.

Ils sont partis. Sonné, tu cherches l'auberge de jeunesse. Tu n'as qu'une envie : dormir. Le cliquetis métallique des lits dans le dortoir ne t'en empêche pas.

À l'automne tu t'excuseras avec abondance. Tu ne sais pas ce qui t'est arrivé : les miasmes des marais italiens ont dû t'empoisonner. Tu es redevenu toi-même, le merveilleux boute-en-train. Ils te racontent la fin de leur voyage, la fois où Franck a dragué le serveur d'un bar dans un village près de Naples et où ils ont failli se faire assassiner par une bande d'Italiens machos. Tu as eu aussi quelques aventures. En rentrant de l'île d'Elbe tu as rencontré un homme d'affaires français qui voyageait en Alfa Romeo. Pas un homosexuel, mais un libertin riche qui t'a fait découvrir une Italie différente. Tu as de la chance d'être rentré sans maladie vénérienne.

Tu as dix-neuf ans, bientôt vingt. Tes parents ont accepté de te louer une chambre de bonne au septième étage par l'escalier de service d'un immeuble haussmannien derrière la place de la Concorde. Tu ne dépends plus du dernier métro. Tu arpentes Paris jour et nuit à grandes enjambées. La salle Pleyel et l'opéra Garnier n'ont pas de secret pour toi. Tu te procures pour dix francs une place au poulailler et à l'entracte tu te faufiles au parterre, d'où tu observes les doigts du pianiste virtuose jouant les *Variations Goldberg* ou le visage de la cantatrice chantant des lieder de Mahler. Bonheur. Une copine t'emmène écouter du jazz dans un caveau du Quartier latin. L'exiguïté du lieu, l'intimité entre musiciens et spectateurs, les petits mouvements de cou – comme ceux d'une poule – de la vieille et grosse chanteuse noire américaine aux chevilles enflées, ses déhanchements rythmés et le chaud sourire avec lequel elle invite à applaudir les solos, le son déchirant du saxophone, l'humour des musiciens, le dialogue de leurs instruments, leur liberté d'improvisation qui transforme la performance en un moment unique dont il ne restera aucune trace sinon dans la mémoire de ceux qui en ont partagé la complicité, cette musique qu'ont inventée les Noirs, et qui est à la fois le contraire de la solitude et leur don joyeux à la vie envers et contre tout : une révélation.

L'argent de poche alloué par tes parents ne te suffisant pas, tu as trouvé une place de gardien de nuit dans un hôtel. C'est un boulot qui a dû être inventé pour les insomniaques : être payé à lire ou écouter de la musique quand on ne peut pas dormir, quelle aubaine ! Grâce aux sous que tu gagnes, tu peux voir plus de films, entendre plus de concerts, boire plus de verres dans les bars, payer la bière de Nicolas quand, pour la énième fois, il s'exclame « Merde ! » et te dit, désolissimé, qu'il a laissé sa carte dans le pantalon de la veille.

Nicolas aux innombrables coups pendables : le Panda. Sébastien aux épaisses boucles brunes et à la bouche sensuelle, tu l'appelles Zeb en adoucissant le *s* à l'allemande, en hommage au chanteur et batteur du groupe anglais de reggae Aswad. Toi, Thomas Bulot, tu es la Bulle. Au petit matin tu grimpes péniblement tes sept étages et t'écroules sur ton lit. Tu sèches les cours. De toute façon, tu sais déjà tout ce qui s'y dit. Entre les disserts à écrire, les livres à lire, les concerts, les films, les fêtes où tu rencontres des filles que tu ramènes chez toi, ta vingtième année file à toute allure.

II

La sorcière

Un après-midi d'avril, tu appelles Nicolas pour lui proposer d'aller au cinéma. Il n'est pas libre. Il a rendez-vous à Beaubourg avec sa sœur pour voir l'exposition Tinguely. Il doit se dépêcher, il est en retard.

« Je peux venir ?

— Si tu veux, mais grouille-toi. »

Juste avant de partir tu hésites, puis te changes vite. Tu remplaces le jean crade par un pantalon beige propre, le tee-shirt par une chemise blanche à peu près repassée. Il fait très beau pour avril. Tu remontes tes manches de chemise, dégageant tes bras couverts d'un fin duvet châtain. Par la ligne 1, tu y es en dix minutes à peine. Tu retrouves Nicolas sur le parvis juste avant l'arrivée de sa sœur.

Sa sœur, c'est moi.

« Thomas ? Tu as changé ! »

Pour un peu j'aurais dit : « Tu as grandi ! » Tu souris.

La dernière fois qu'on s'est vus, c'était un an et demi plus tôt, pendant les vacances d'été en Bretagne. Nicolas a beau te dire qu'il a commencé à respirer le jour où je suis partie aux États-Unis, il a beau te dire à quel point je suis tyrannique, hystérique et moralisatrice – en un mot, chiante –, tu sais qu'il a pour moi une grande admiration. J'ai six ans de plus que lui, que toi. À vingt-six ans, j'enseigne déjà en fac. Je suis normalienne, agrégée de lettres classiques. Je viens de passer deux ans à Yale. Ça, c'est mon CV. Mais il y a autre chose, tu le sens. Pour commencer, je fais ma thèse sur Sade. Ce n'est pas neutre, Sade. Tu l'as lu, tu sais à quoi t'en tenir. Une sadienne. Cette idée te titille. Tu m'imagines déculottant mon frère et le fessant. Idée extrêmement bandante que tu ne partages pas avec Nicolas, car il peut être pudique, Nicolas, et très moral, même s'il ne s'en rend pas compte.

Apparemment il s'entend mieux avec moi depuis mon retour des États-Unis. Je suis plus tolérante. Il ne vit plus chez nos parents : il est moins soumis à mon regard critique. Tu sais par lui que j'ai vécu cet hiver un grand chagrin d'amour : l'Américain que j'ai rencontré aux States et dont je suis tombée follement amoureuse m'a abandonnée. Tu es curieux. Tu aimes les femmes qui ont vécu de douloureuses histoires d'amour. Tu n'es plus l'enthousiaste découvrant la sexualité comme Nicolas cette année. Tu as une connaissance des femmes et du désir. Tu as lu Proust et Casanova.

Dans la galerie de l'exposition, tu joues le guide. Je ne sais que penser de ces sculptures ludiques et colorées. Tu composes un discours truffé de références et de jeux de mots. Nicolas te donne la réplique, et vous riez beaucoup. Mais c'est entre toi et moi que ça se passe. Tu t'en rends compte à d'imperceptibles signes. Je reste à tes côtés, nos bras se frôlent. Quand tu te places derrière moi pour me montrer les détails d'une sculpture encore plus loufoque, tu sens entre nos corps éloignés de quelques centimètres une aimantation. Je ne suis pas loin de m'appuyer contre toi. Tu m'effleures le bras : je frissonne. Avec une totale absence d'inhibition, une liberté de parole dont tu raffoles, je te raconte qu'aux États-Unis, grâce à la vie de campus et aux fêtes où la *French girl* se faisait sans cesse inviter, j'ai connu beaucoup d'hommes. Tu me réponds du tac au tac. On fait la carte du monde de nos conquêtes. Malgré mes six ans de plus que toi – une différence importante à nos âges – tu sens une parfaite égalité entre nous. On est sur la même longueur d'onde.

Je vous quitte en sortant du musée. Devant mon frère, impossible de me demander mon numéro de téléphone.

Une semaine plus tard Sibylle organise une grande fête à la campagne. Tu as un mouvement de surprise joyeuse quand tu m'aperçois. Je suis venue avec mon frère. Pour te revoir ? Une cigarette aux lèvres, tu me regardes danser un slow avec Sébastien, raide comme un bâton, en te demandant si tu risques de te faire évincer. Tu sors fumer un joint avec tes copains, et quand tu rentres je suis enfin seule. Tu me proposes de danser.

Tu ne perds pas de temps. Tu m'annonces de but en blanc que tu n'aimes pas les filles de ton âge. Tu as une prédilection pour les plus jeunes, les nymphettes, ou les plus âgées – dont je fais partie, cela va sans dire. Tu me racontes ta liaison avec une femme de trente-huit ans

– une vieille – qui t'a payé pour l'aimer. Tu sens que tu ne me choques pas. Je t'avoue que, contrairement à ce que croit cette bande de garçons excités, je ne suis pas une dépuceleuse, et que sexuellement j'ai besoin d'être dominée. Ma franchise t'électrise.

« Ça tombe bien. Sexuellement je suis dominateur. »

Tu me regardes dans le blanc des yeux. Je rougis. Tu me fais virevolter en me soulevant de terre. Je suis plus lourde que tu ne le pensais et nous nous effondrons au milieu des rires. Tu t'esclaffes : tu es vraiment le roi des maladroits. Après la danse nous nous séparons. Nous en avons presque trop dit.

Quand tu quittes la maison de campagne le lendemain, tu as mon numéro et j'ai le tien. Tu sens que c'est une bonne idée d'attendre mon appel. Il y a des occasions qu'il faut saisir par les cheveux, d'autres qu'il faut laisser languir. Le téléphone sonne quelques jours plus tard. Je te propose d'aller voir le film de Stephen Frears qui vient de sortir, *Dangerous Liaisons.* Justement, tu voulais le voir.

« Parfait. Demain ?

— Je ne suis pas libre avant jeudi. »

C'est dans quatre jours. J'en ai l'air presque contrarié. Tu te gardes de me révéler que tu travailles deux de ces trois nuits. Tu sens que la discrétion est la meilleure stratégie.

Tu as suggéré La Pagode, que tu préfères aux grands cinémas commerciaux. Le rythme endiablé du film et les expressions de John Malkovich nous exaltent. Quand ta main se pose sur mon genou dans le noir, je ne l'écarte pas. Dans le métro qui nous conduit vers chez toi, il y a un peu d'embarras entre nous. Il s'agit maintenant d'accomplir le programme tacite. Si une sadienne bardée de diplômes te suit dans ta chambrette, ce n'est pas pour rien. Sept étages à pied par l'escalier de service, mais tu me fais remarquer l'adresse prestigieuse, juste derrière l'ambassade des États-Unis. Assis au bord du lit, on déguste nos œufs en gelée et nos tartelettes tout en buvant du vin blanc. Ensuite les choses ne se passent pas comme prévu.

Ne pas pouvoir me mettre, comme on disait au dix-huitième siècle. Tu es dépité. Rien de tel ne t'est jamais arrivé. D'un ton qui te fait sentir la différence d'âge entre nous, je te dis que ce n'est pas grave : un homme, c'est fragile ; il en faut peu pour le décontenancer. Du haut de mes vingt-six ans, je te rassure : je passe une excellente soirée. J'aime parler, tu es bon auditeur : cela permet d'oublier ta panne. D'ailleurs c'est sans doute l'alcool. J'ai à peine pris un verre : tu as bu la bouteille.

On s'endort en cuiller l'un contre l'autre. Quand tu te réveilles à l'aube alors que je dors encore, l'ensorcellement se rompt. C'est un plaisir tout en douceur. Tu es soulagé. Je me retourne, te souris, caresse ton torse imberbe et tes cuisses.

« Tu as eu un accident ? »

Je viens de remarquer les deux longues cicatrices verticales sur tes cuisses.

« J'ai été opéré quand j'avais six ans. Une nécrose des hanches. Je suis resté à l'hôpital un an.

— Vraiment ? »

La présence de ton grand corps en bonne santé efface

l'image de l'enfant malade sur un lit d'hôpital. Je suis déjà passée à une autre partie de ton corps. La deuxième fois est aussi bonne que la première.

D'un commun accord on baptise cette relation naissante « amitié érotique ». Il ne s'agit pas d'amour. Le sentiment qui nous lie est léger et joyeux. Personne ne doit savoir ce qui se passe entre nous, surtout pas mon frère et sa bande de copains. Tu n'as rien contre les secrets. Il est bon d'avoir plusieurs vies. Il est bon de retrouver Nicolas, de boire et de rire avec lui sans trahir par une allusion que sa sœur t'attend. Au bout de quelques semaines, je t'invite dans mon studio spacieux. Dorénavant c'est là que nous dormons – dans le grand lit où j'ai fait l'amour cet automne avec mon Américain quand je l'ai vu pour la dernière fois. C'est la seule chose dont je ne parle pas. Notre relation physique est de plus en plus forte. Tu es un amant imaginatif aux doigts et à la langue agiles. Un soir où je te raconte qu'un ami m'a vexée autrefois en me disant que je n'avais pas de beaux pieds, tu lèches mes orteils l'un après l'autre et je défaille de plaisir.

Un matin je te propose de jeter un coup d'œil, sur l'écran de l'ordinateur portable que j'ai rapporté des États-Unis – au printemps 89 tu ne connais personne d'autre qui en possède un –, au roman que j'ai écrit pendant l'hiver pour survivre à mon chagrin d'amour. Tu es flatté du crédit que je t'accorde, mais inquiet. Tu les connais, ces romans écrits par des khâgneux : ça se veut intelligent, ça se regarde le nombril, c'est chiant. Mieux vaudrait s'abstenir ; la curiosité l'emporte. Tu lis une page. Un couple se dispute. Tu appuies sur la touche avec une flèche pour descendre à la page suivante. Tu lèves les yeux vers moi, qui te regarde avec effroi.

« Ça donne envie de continuer. »

Nous sommes aussi soulagés l'un que l'autre.

Alors qu'on se téléphone presque tous les jours et qu'on se voit plusieurs fois par semaine, je t'interdis toujours de parler à quiconque de notre relation. Il n'y a entre nous aucun pacte de fidélité. Je t'appelle un matin pour te raconter mon incroyable nuit. Je n'arrivais pas à dormir ; je pensais à mon Américain si fort que j'en claquais des dents. Je ne pouvais pas te demander de venir : tu travaillais à l'hôtel. À deux heures du matin j'ai fini par composer le numéro d'un jeune poète aux yeux de velours rencontré chez mon frère. Tu le connais : ton ami Franck se damnerait pour le voir nu. Justement, je l'ai vu nu. Non sans mal. Tu ris, au diapason de mon humeur coquine. Chaque mot t'envoie une petite flèche à un endroit très sensible. En raccrochant tu as un goût amer dans la bouche.

Deux jours plus tard je t'appelle. Je souhaite te voir ce soir-là. Tu n'es pas libre.

« Je dîne avec une nymphette à qui je donne des cours de maths.

— Viens après.

— J'ai quelques projets concernant la nymphette : j'espère la ramener chez moi.

— Ah ! »

Je serais mal venue de formuler quelque exigence. On se donne rendez-vous au Rostand où je te remets le roman que j'ai imprimé. Je t'interroge sur la nymphette : tu promets de m'appeler le lendemain pour me raconter. Tu t'éloignes d'un pas vif sur le boulevard Saint-Michel, une cigarette au bec, le manuscrit sous le bras. Tu marches le long de la Seine, franchis le pont des Arts, entres dans les Tuileries. Paris. À quel point tu aimes cette ville. Tu contournes le bassin, marches sous les vieux tilleuls parmi les nombreux touristes, humes leurs feuilles et l'odeur d'été. *Les tilleuls sentent bon dans les bons soirs de juin ! / L'air est parfois si doux, qu'on ferme la paupière ; / Le vent chargé de bruits, – la ville n'est pas loin, – / A des parfums de vigne et des parfums de bière...* Tu souris aux jeunes filles en fleurs, ravissantes dans leurs robes légères découvrant leurs épaules. Tu pourrais aisément en draguer une, accomplir le programme que tu viens d'énoncer. Tu n'en as pas envie. Dans ta chambre tu t'allonges avec le manuscrit. Quand la passion déchire les personnages, quand ils font l'amour une dernière fois avec une rage inédite, tu oublies que tu es sur ton lit en train de lire : tu es là-bas, en Amérique, étendu sur le plancher aux larges lattes de bois roux près d'un cendrier qui déborde de mégots. Le dernier feuillet lu, tu restes allongé, yeux ouverts, une cigarette aux lèvres, contemplant le plafond. Tu ignorais que ce livre vibrerait en toi avec tant de douceur. Tu t'endors à l'aube ; le téléphone te réveille à onze heures du matin.

« Je n'appelle pas trop tôt, j'espère ? Tu as passé une bonne soirée ?

— Excellente, merci.

— La nymphette est encore là ?

— Partie. Elle avait cours.

« — C'était bien ?

— Très bien. »

Je ne tire rien de plus de toi. Tu es sûr que j'ai passé une mauvaise nuit. J'ai beau faire semblant de te féliciter, la complicité n'est plus là. Le lendemain tu ne te manifestes pas. Le surlendemain je te téléphone. Je veux te voir. C'est urgent. À peine nous retrouvons-nous à La Palette que je déclare vouloir changer les termes du pacte : une amitié érotique, mais exclusive. La nymphette m'a fait peur : tu as bien joué. Sans me révéler que tu as passé ta nuit libertine avec mon roman, tu me dis l'avoir lu et aimé. Rien ne peut me donner plus de joie. Tu sens que tu as franchi d'un coup vingt échelons dans mon intimité. Mon amant roumano-américain devient un héros de ta mythologie. Tu l'appelles « le monstre ».

Quelques jours plus tard tombent les résultats du concours. Tu te déplaces et cherches ton nom dans la liste affichée sur la grille. À B, tu n'es pas là. Tu n'en crois pas tes yeux. Cette année tu étais le meilleur étudiant de ta khâgne. Pas admissible. Comment est-ce possible, quand tant de crétins le sont ? C'est inconcevable. Admissible, tu étais sûr d'être reçu : tu as assez de bagout pour remonter cinquante places à l'oral. On ne te donne pas cette chance. Comment le dire à ta mère, dont l'unique ambition est de te voir normalien, comme Sartre et Nicolas ?

Le ciel t'est tombé sur la tête. Tu te voyais recevoir un salaire à partir de juillet, quitter ton job à l'hôtel et ta chambre de bonne pour prendre un vrai studio. Tu montes les sept étages, te laisses tomber sur ton lit. Le téléphone sonne. *Rodrigue, as-tu du cœur ?* Tu dois faire acte de courage.

« Allô ?... Non. »

À l'autre bout de la ligne, ta mère pleure. D'elle sortent les humeurs qui restent bloquées dans ta poitrine.

« C'est sa faute !

— La faute de qui, maman ?

— La sœur de Nicolas ! Cette sorcière ! »

Tu ne peux retenir un sourire. Ta mère est la seule à qui tu aies parlé de cette liaison. À ta mère, tu peux tout dire. Tu n'as même pas besoin de finir tes phrases : elle comprend à demi-mot et rit avant toi. Vous êtes une seule et même personne. Ta mère et son intelligence de feu : aucune autorité ne la subjugue, elle qui n'a pas fait d'études et qui a tout appris en autodidacte. Quand vous entendez un imbécile à la radio, à la télé ou ailleurs, elle est encore plus rapide que toi à s'écrier en dressant l'index : « Allez, allez, en prison ! En prison pour médiocrité ! », cette ligne que tu as lue dans une pièce de Montherlant en première et qui est devenue votre devise. Tu voulais l'impressionner. La sœur aînée de ton ami que ta mère trouve si intelligent. Une femme plus âgée qui enseigne à l'université. Sort avec toi, un garçon de vingt ans. Ta mère est fière de tes conquêtes. Tu aurais peut-être mieux fait de tenir ta langue, car elle vient de trouver un bouc émissaire.

Une heure plus tard on frappe à la porte. La sorcière. On avait prévu de se voir ce soir-là. Tu ne m'as pas dit que c'était le jour où tu recevais les résultats de l'écrit. Tu n'y pensais même pas. Il était évident que ton nom serait sur la liste et que dès le lendemain tu te mettrais au travail. Je t'aurais aidé à t'entraîner pour les oraux. Tu m'ouvres. Au lieu de me prendre dans tes bras, tu t'assieds sur ton lit, le dos courbé. Tu m'annonces la nouvelle.

« Oh ! »

J'envisage avec toi les possibilités : repasser le concours en candidat libre, trouver une autre voie ? Puisque tu n'as pas l'intention de devenir professeur, le titre de normalien ne t'aurait servi à rien : c'est le salaire que tu regrettes, soit, mais il existe d'autres moyens de gagner de l'argent. Tu t'es toujours débrouillé. Tu t'en sortiras. C'est la première fois qu'on parle seulement de toi et que tu remarques que je peux être gentille. Tu me dis que ta mère m'attribue ton échec et m'appelle la sorcière.

« La sorcière ? Mais pourquoi ?

— Je ne fous plus grand-chose depuis qu'on se connaît. Ou plutôt je fous, rien d'autre. Ma mère pense que tu dissipes ma jeunesse. Elle n'a pas tort !

— Quand on s'est rencontrés, tu avais déjà passé les écrits, non ? Ce n'est pas ma faute ! »

Tu mets le bras autour de mes épaules et souris.

« Mais non, ce n'est pas ta faute. Je n'ai pas l'impression que tu abuses de moi plus que moi de toi. Ma mère n'aime pas qu'on touche à son fils, c'est tout. »

On est ensemble depuis deux mois. Notre relation a changé. Elle est de plus en plus intime et tendre. On s'appelle tous les jours. On ressemble de plus en plus à un couple. Les soirs où tu ne travailles pas à l'hôtel, tu dors chez moi. On prend notre café en écoutant *Kind of*

Blue dont tu m'as offert le CD. Un matin où je suis assise à mon bureau après le petit déjeuner, tu glisses ta main dans l'échancrure de ma veste de pyjama en soie blanche – un pyjama aguichant que j'ai mis pour toi.

« Pas maintenant, Thomas. Je travaille. »

Tu te penches pour m'embrasser. Je t'écarte d'un coup de coude sans lever les yeux.

« Pas maintenant, je te dis. »

Tu m'embrasses de force.

« Thomas, je n'ai pas le temps ! Va-t'en. »

Ta colère monte d'un coup, comme une poussée d'adrénaline. Tu n'apprécies ni le ton irrité ni l'usage de l'impératif. Quand je n'ai plus besoin de toi, je te chasse comme une mouche qui dérange. Tu m'empoignes par les bras et m'arraches à la chaise qui se renverse. Tu me pousses vers la moquette au pied du canapé, tu m'ôtes mon pyjama sans écouter mes protestations, je me débats mais tu es le plus fort. Tu me forces à m'allonger sur le ventre, tu me maintiens au sol du poids de ton grand corps et appuies sur ma tête tandis qu'un de tes genoux écarte mes cuisses. Tu ne penses pas à la suite, au risque de rupture, voire pire. Tu ne penses plus. Une fureur incontrôlable s'est emparée de toi. Ça aura lieu maintenant, quand *tu* le veux, que je le veuille ou non. Tu plaques une main sur ma bouche. Tu sens soudain que mes cris ne sont plus de colère et de douleur, que mes mouvements s'harmonisent avec les tiens comme si une barrière en moi avait cédé. Nos corps avachis sur la moquette n'ont plus la force de bouger, nos visages immobiles se font face et ce que tu vois dans mon œil n'est pas la rage et l'humiliation, mais une nouvelle tendresse, comme si, au lieu de me soumettre à ta loi, tu étais simplement entré dans mon fantasme.

Les grandes vacances approchent. On va se quitter pour l'été. En juillet tu pars pour un long périple à travers les États-Unis que tu avais prévu de faire avec mon frère avant de me rencontrer. En août, c'est moi qui pars. Pour le même voyage. Je retourne sur le continent où vit l'Américain, pas pour le revoir mais pour rendre visite à des amis qui m'ont invitée en Californie. On achète l'un comme l'autre, en plus du billet transatlantique, le passe Delta qui, pour quatre cents francs, permet de voyager en avion partout à travers le pays. La perspective de ce voyage est si excitante que c'est tout ce dont nous parlons. Après l'été, t'autoriserai-je enfin à révéler que nous sommes ensemble ? Serons-nous encore ensemble ? Inutile de spéculer.

Les États-Unis sont chers. Le dollar vaut presque dix francs. Nicolas et toi n'ayant pas les moyens de vous offrir l'hôtel, vous collectez toutes les adresses de gens que vous pourrez squatter, d'amis des parents, d'amis d'amis. À Boston vous ne connaissez personne. L'idée me vient de vous envoyer chez mon amant. Tu ris : chez le monstre ? Ce projet digne des *Liaisons dangereuses* nous enchante. Je réussis à le joindre et lui demande s'il pourrait loger quelques jours mon frère et un ami. Il accepte. On élabore ensemble des plans de vengeance.

« Coupez tous les fils électriques, cassez l'ordinateur et la stéréo à coups de marteau, crevez les pneus de la voiture. »

Je jouis de t'envoyer chez le salaud pour qui j'ai pleuré

pendant l'hiver toutes les larmes de mon corps. Tu aimes l'idée de te transformer en chevalier portant les couleurs de sa dame.

Ce voyage aux États-Unis te pose un autre problème. Ton travail à l'hôtel t'a permis de payer le billet et le passe Delta, mais il ne reste rien pour financer ton séjour : il faudra vivre, là-bas, pendant un mois. Si tu avais réussi le concours, tu aurais pu contracter un emprunt que tu aurais remboursé à l'automne. À force de dire que tu cherches à gagner de l'argent, tu finis par rencontrer un type qui te parle d'un réseau organisant des substitutions aux écrits du baccalauréat pour des fils à papa nullissimes. On te remettra une fausse carte d'identité portant ta photo et le nom du garçon. Tu passeras les épreuves de philo et de français et recevras dix mille francs, deux fois le SMIC, pour huit heures de travail sans préparatifs. Une aubaine.

Branché sur la même filière, Nicolas prend peur et recule. Tu me rassures : c'est sans risque. Tu devras simplement montrer ta carte d'identité à un type mal réveillé payé pour laisser entrer les cent et quelques candidats. Ensuite tu n'auras plus qu'à bûcher : deux dissertations scolaires et plates. Deux copies doubles remplies de ton écriture manuscrite que tu rendras la plus lisible possible, puis tu donnes ton devoir à l'appariteur et tu sors. Tu reçois ton argent, que le fils à papa réussisse son bac ou non. Le jeu en vaut la chandelle.

Tu passes les épreuves mi-juin et tout se déroule comme tu l'avais prédit. L'appariteur qui regarde ta carte ne lève pas un sourcil. Quand tu le racontes à Nicolas, il regrette d'avoir cédé à la voix de la raison. L'argent est

44

là, des liasses de billets que tu vas convertir en traveller's checks et emporter aux States. La veille de ton départ, tu dors encore quand le téléphone sonne. L'intermédiaire du réseau. L'inquiétude dans sa voix te réveille d'un coup. Il y a eu un problème. Quand il a accompagné le cancre chercher ses résultats ce matin, un inspecteur l'attendait : il l'a accusé d'avoir triché car il avait obtenu 20 sur 20 en français et 20 sur 20 en philo. Ces deux 20, rarissimes dans un système où l'excellence est sanctionnée d'un 18 ou d'un 19 comme si le 20 signalait une perfection surhumaine, ont attiré l'attention sur lui : on a examiné son livret scolaire et constaté qu'il avait raté son bac deux fois et que sa moyenne dans ces matières tournait autour de 4. Le type s'est effondré et a désigné son compagnon comme l'intermédiaire du réseau. Ce dernier a gardé son sang-froid : « Je ne comprends pas de quel réseau il parle. Il avait besoin de cours en français, à une fête j'ai rencontré un type bon dans cette matière, un certain Patrick, et je les ai mis en contact, c'est tout. Après je ne sais pas ce qu'ils ont manigancé. » Il t'appelle d'une cabine publique après s'être assuré qu'il n'était pas suivi. Il file chez lui détruire quelques papiers.

Pour une fois, la situation ne te paraît pas cocasse. Tu n'oses plus sortir de ta chambre ni même décrocher ton téléphone. Tu guettes les bruits dans le couloir, t'attendant à voir débarquer les flics. Si la police fait chanter l'intermédiaire et qu'il lâche ton nom ? Un casier judiciaire te suivra toute ta vie. Interdit d'études sur le sol français. Tu imagines ta mère, sa déception, sa douleur : son fils, un hors-la-loi.

Deux 20 sur 20 ! Par quelle malédiction les obtiens-tu sous un autre nom quand tu essaies d'être médiocre, et ne réussis-tu pas à décrocher un 13 ou un 14 en ton nom ? Qu'il s'agisse du bac ou de Normale sup, le modèle de la dissertation reste le même. Échoue-t-on quand le désir est trop fort ? Échoues-tu quand ton désir est trop fort ?

Tu t'envoles le lendemain sans que personne t'arrête à l'aéroport. Nicolas peut maintenant laisser libre cours à son rire. Dans l'avion qui file loin de la vieille Europe, tu ne comprends plus ta terreur. Ce qui compte, ce sont les dix mille francs dans ta banane. Neuf heures plus tard vous atterrissez à Kennedy Airport. Quand vous sortez du terminal, tu respires un air moite, poisseux, salé. Il fait si chaud que tu transpires tout de suite. Tu éprouves une excitation intense. Te voilà arrivé dans la ville des villes. Pour aller de l'aéroport à Manhattan vous prenez le bus puis le métro, le moins cher des moyens de transport. Vous vous asseyez sur des sièges jaune vif, vos sacs à dos entre les genoux, très éveillés malgré l'heure tardive, vingt et une heures à New York, trois heures du matin à Paris. Quand vous sortez du métro sur West Fourth Street, il fait nuit et toujours très chaud, trente-cinq degrés peut-être. Le bruit de fond des sirènes et des klaxons est assourdissant. Néons multicolores, taxis jaunes, filles en débardeur, en claquettes et en short au ras des fesses, comme à la plage. Derrière un grillage une douzaine de Blacks jouent au basket-ball à la lumière d'un puissant réverbère. Tout de suite tu te sens chez toi. C'est une ville de la nuit, une ville pour insomniaques.

La dernière fois qu'on s'est vus avant ton départ, je t'ai fait jurer deux choses. La première, de ne rien révéler à mon frère – ou je romprai. La seconde, de ne rien abîmer chez le monstre.

« Et tes projets de vengeance ?

— Je plaisantais. Il vous donne l'hospitalité. Il ne faut pas exagérer. »

J'étais soudain inquiète à l'idée d'envoyer deux gamins irresponsables à l'homme que j'avais aimé.

On a prévu de se retrouver à New York début août, à la fin de ton séjour américain qui sera le début du mien.

Nicolas et toi vous êtes arrêtés à Boston quelques jours au début du voyage, après New York et avant Chicago. Nicolas a composé le numéro que je lui avais donné. Vous avez débarqué chez le monstre avec vos sacs à dos. Il vous a ouvert la porte. Moins grand que toi mais plus que mon frère, et aussi beau que dans mon livre. Il vous laissait l'appartement car il partait en week-end. Pas seul. Oubliant le destin réservé aux porteurs de mauvaises nouvelles, tu t'es empressé de me l'écrire : « En entrant chez lui, j'ai tourné une à une les pages de ton roman. J'ai reconnu le monstre. J'ai assisté au film de ta passion. […] On n'a rien cassé. On a juste fini son whisky. On a aussi dû déchirer l'écran antimoustique d'une fenêtre : ton imbécile de frère (mais si charmant ! je l'adore) est sorti en claquant la porte, sans les clefs que je venais de lui dire de prendre. Dégâts mineurs par rapport à ce que j'aurais voulu faire. […] Le monstre a une nouvelle petite amie avec qui il est parti à New York ce week-end. Une jeune Française blonde, évidemment : il a des goûts constants. Je suis sûr qu'il l'abandonnera par le même abominable silence. »

Merveilleux périple. Aussi magique que vous l'aviez

anticipé. Liberté absolue que vous donne le passe Delta qui vous permet de voyager n'importe où gratuitement. Vous ouvrez une carte, choisissez votre destination. San Francisco. Los Angeles. Santa Fe. Atlanta, pourquoi pas. La Nouvelle-Orléans. Miami. Vous prenez l'avion comme le bus. Les États-Unis à la portée de deux petits Français sans le sou. À peine débarqués, vous sortez le carnet où vous avez noté les contacts et vous appelez d'une cabine publique de parfaits inconnus : « *I am a friend of so and so... It would be just for one or two nights. Is it possible, really ? Thank you so much !* » La plupart sont des amis d'amis des parents, des Américains d'une autre génération qui habitent des villas spacieuses dont leurs enfants étudiants sont partis. Ils vous invitent à vous servir dans l'énorme réfrigérateur. Quelquefois il y a même une vaste piscine où vous sautez bruyamment comme des gamins excités. Vous demandez si vous pouvez laver vos affaires, et la dame vide le contenu de vos sacs dans un lave-linge plus gros que vous n'en avez jamais vu. Rien à dire : les Américains ont le sens du confort, et c'est un peuple hospitalier. Tout y est plus abondant qu'en France. Le café n'est pas très bon, soit, mais dans les *coffee shops* le prix d'une tasse comprend toujours un « *refill* » gratuit et l'on peut se servir librement en sachets de sucre et capsules de lait. Tu tombes amoureux de l'Amérique et des Américains. Vous payez vos hôtes en mots, parlant de la France de François Mitterrand et de la cohabitation, donnant votre avis sur les conflits dans le monde, les impressionnant par votre érudition et votre intelligence. Tu te sens parfaitement à l'aise avec ces millionnaires, tu n'hésites pas à draguer leurs femmes avec un sans-gêne qu'ils attribuent généreusement à la différence culturelle.

Parfois vous avez une déconvenue. La voix se ferme au téléphone, *very sorry*, tu as beau insister, plaisanter, on ne peut pas vous recevoir. Vous cherchez alors l'adresse de l'auberge de jeunesse. À Las Vegas vous descendez dans un motel qui vous rappelle *Psycho*. Nicolas gagne une avalanche de pièces à une machine à sous, et pour une fois c'est lui qui t'invite. Il compte un peu trop sur la fortune que tu as gagnée par des moyens peu légitimes mais n'en demeure pas moins un délicieux compagnon de voyage, curieux et spirituel, toujours de bonne humeur sauf au réveil. Tu lui as pardonné Sibylle, ses succès, le voyage en Italie. Il est mignon avec ses yeux vifs, son nez pointu, sa bouche charnue et ses taches de rousseur. Sous ses cheveux bouclés, tu surprends sans cesse la ressemblance avec moi. Tu t'en veux de lui mentir par omission et de rester sur tes gardes jour et nuit pour ne pas te trahir. Un soir que l'alcool a rendu mélancolique, tu es tout près d'avouer.

Seul point noir : le Grand Canyon. Pour une fois vous vous êtes levés tôt. Même entourés de hordes de touristes, vous savez tout de suite que le détour en valait la peine. Le panorama est époustouflant, la lumière magnifique. Vous poursuivez au-delà de Skeleton Point, où la plupart des gens font demi-tour. Nicolas descend comme une chèvre de montagne, toi plus lentement, en calant tes baskets dans la poussière rouge. Après trois heures de marche vous arrivez au Kaibab Suspension Bridge, où vous avalez vos sandwiches, vous reposez à l'ombre d'un arbre et remplissez vos bouteilles avant d'entamer la montée de quatorze kilomètres le long de Bright Angel Trail vers quinze heures, alors que le soleil encore au zénith te brûle le crâne comme une torche. Tu enroules ton tee-shirt comme un turban autour de ta tête. Te voilà transformé en fakir, mais Nicolas n'a pas la force de rire. Vous marchez en silence. Vous ne croisez personne. Tu sens à chaque pas tes genoux fatigués. Vous parvenez, exsangues, à Indian Garden où vous trouvez de l'eau. Il est quatre heures et demie et la chaleur dépasse quarante degrés. Encore sept kilomètres. Ta bouteille est finie. Tu t'avises que tu n'as pas pissé une fois depuis le matin alors que tu as bu trois litres. Tout le liquide en toi s'est évaporé. Tu as mal à la tête. À chaque pas les muscles de tes jambes menacent de se tordre en une crampe atrocement douloureuse. Nicolas n'est plus à côté de toi. Tu vois devant toi sa forme floue comme dans un mirage.

« Nicolas ? »

Il se retourne et crie quelque chose d'inaudible.

« Nicolas ! Attends-moi ! »

Sa silhouette s'estompe dans la brume de chaleur, puis disparaît.

Ta nausée est de plus en plus forte. Tu vomis ton sandwich sur le bord du chemin. Jamais tu n'as senti un tel épuisement. Tu avances pas après pas, tu essaies juste de ne pas tomber. Tu vendrais ton âme pour une goutte d'eau. En restait-il dans la bouteille de Nicolas ? Il est parti. Dans une cordée, à la montagne, il aurait tranché la corde qui le liait à toi. Tu essaies de t'imaginer dans sa position. Nicolas nauséeux, épuisé, près de s'évanouir, et toi le laissant au bord du chemin. Impossible. Ta mère avait raison. C'est un traître doublé d'un lâche. Un salaud.

Au crépuscule tu croises des touristes. Ta démarche zig-zagante les alerte. Ils te font boire et t'escortent jusqu'au South Rim où tu retrouves Nicolas qui te dit qu'il cher-chait des secours. Plus tard, tu plaisantes avec lui sur votre expédition dans le désert, sur sa traîtrise même, mais si tu avais quelque scrupule de lui avoir caché ton secret tout au long du voyage, ce n'est plus le cas.

Début août vous débarquez à Manhattan où j'atterris le lendemain. On se retrouve le soir dans un bar du Vil-lage. Quand tu me vois, bronzée par le soleil breton, avec mon tee-shirt bleu vif qui rend mes yeux encore plus bleus, tu te rends compte que tu attendais ce moment depuis un mois. Devant mon frère, tu m'embrasses sur les joues. Dans la rue, nos mains s'effleurent dans son dos sans qu'il s'en rende compte. Le contact te traverse de décharges électriques. Tu sens la même tension au bout de mes doigts. Dans le ferry de Staten Island qu'on prend le lendemain pour voir la statue de la Liberté, tu réussis à m'enlacer après avoir semé mon frère qui a tourné à droite en haut d'un escalier. Je guette le pont du coin de l'œil.

« Le voilà. »

Vite tu t'écartes. Nicolas nous jette un coup d'œil soupçonneux.

Le soir, au restaurant chinois d'Hudson Street, ce n'est simplement plus possible. Quand je descends aux toilettes à la fin du dîner, tu te lèves à ton tour. Tu te postes à la sortie des toilettes et me pousses à l'intérieur dès que la porte s'ouvre, reprenant voracement le baiser interrompu le matin, avec une passion qu'intensifient un mois d'abstinence et la frustration des deux derniers jours. Je refuse d'aller plus loin, à la va-vite, pendant que mon frère nous attend. Tu laisses passer deux minutes avant de me suivre et, quand tu arrives dans la salle du restaurant, la scène a changé. Nicolas nous dévisage, furieux, dégoûté.

« Je viens d'aller pisser. Il n'y avait personne dans les chiottes des hommes. »

Tu te tiens coi. Je réponds froidement :

« Thomas sort avec moi depuis trois mois. Je lui avais interdit de te le dire. »

On alterne excuses et justifications tandis que Nicolas prend l'air scandalisé d'un mari cocu : comment as-tu pu lui mentir pendant un mois ? Comment ai-je osé séduire son meilleur ami ? Du vaudeville.

« J'en ai marre, dis-je. Je m'en vais. Vous me fatiguez tous les deux. »

Après mon départ, vous rentrez et vous couchez en silence. L'esprit de votre voyage, la camaraderie, la complicité, votre amitié, ont disparu.

Le lendemain, Nicolas a compris. Il pourrait difficilement nous interdire de nous aimer. Il nous laisse passer l'après-midi ensemble. On se promène dans Soho. C'est une journée d'août moite et très chaude où l'asphalte fond sous les pieds. On s'embrasse dans toutes les embrasures. Les hôtels sont trop chers. On ne peut pas rentrer chez les amis d'amis qui nous logent sur des canapés et dont on ne connaît pas les horaires. Les parkings entre les immeubles sont surveillés par des gardes. Le désir nous rend fiévreux. On finit par s'asseoir au bord de la terrasse d'un restaurant fermé au bas de la Sixième Avenue au trottoir large et peu fréquenté, et on étale sur nos genoux le gilet que j'ai dans mon sac. Tu déboutonnes ton pantalon ; ta main se glisse sous ma minijupe. Le plaisir nous secoue comme de longues herbes ployant sous le vent breton. On éclate de rire. En plein jour, en plein New York ? On est fous. On aurait pu se retrouver en prison pour atteinte aux mœurs.

La lettre avec les timbres américains arrive à la fin du mois d'août. Tu sais déjà ce qu'elle contient. Tu le sais depuis le début. Avec une délicatesse qui n'a d'égale que celle de mon frère, j'ajoute à mon annonce quelques coups de griffes qui te déchirent. Tu ne dois pas croire que c'est parce que j'ai revu l'Américain à Boston : mon amour pour lui n'a rien à voir avec notre histoire. Ou plutôt, il a à voir seulement dans la mesure où je t'ai rencontré à un moment où je n'étais pas disponible pour un nouvel amour. Je ne nie pas qu'il y ait du désir entre nous, une vraie complicité, et que tu aies été bon pour moi. Je te remercie. Mais je ne suis pas amoureuse de toi et m'en suis aperçue à l'instant où j'ai vu ton visage quand nous nous sommes retrouvés début août dans ce café de New York.

Face au miroir au-dessus du lavabo, tu grimaces et observes ton sourire rectangulaire de personnage de bande dessinée. Que ne donnerais-tu pour avoir les grands yeux noirs, la bouche sensuelle et les dents bien plantées de Sébastien.

Fin d'un chapitre. Tu as vingt ans. Tu as raté pour la seconde fois le concours qui a été ta grande ambition. La femme pour qui tu t'es pris d'amour te remercie.

Te congédie comme un laquais. T'annonce qu'il n'y a jamais rien eu entre vous. Juste une pure ardeur physique. C'est encore cela que, dans ta jeune vie, tu sais le mieux faire : baiser.

Tu dînes chez ta mère, à qui son intuition permet de déceler ta tristesse derrière ton rire et tes jeux de mots.

« C'est la sœur de Nicolas, c'est ça ? La sorcière ? Oublie-les, ces deux-là. Ils ne t'ont fait que du mal. »

Ses paroles de mère aimante, blessée pour toi dans sa chair, creusent le sillon de ton humiliation. Tu n'as jamais été plus proche d'elle. En ce mois de septembre, vous vivez tous deux le même abandon. Ton chagrin, c'est le sien. Ton père infidèle a depuis longtemps fui la maison et les scènes qu'elle lui faisait au retour de chacun de ses voyages. Ils sont en train de divorcer. Tu es son pilier. Sans toi elle ne survivrait pas.

Quand je t'appelle à mon retour des États-Unis fin septembre, tu m'invites à dîner et me dis que ma lettre ne t'a pas surpris. Je suis soulagée que tu ne m'en veuilles pas. Je te raconte mes retrouvailles avec l'Américain, chez qui je viens de passer un mois idyllique, sans aucun des déchirements et des disputes que tu as lus dans mon livre. À ce propos, j'ai une excellente nouvelle : mon roman va être publié. Tu me félicites. Tu n'en as jamais douté.

Nous ne nous revoyons pas. En avril tu reçois le faire-part sur papier vélin. C'est le premier mariage auquel tu es convié. En tant qu'ami du frère ou ex de la mariée ? Il a lieu en Bretagne fin juin. Tu y vas. Dans son costume sombre, tu trouves le monstre extraordinairement beau. C'est l'été de la lambada. Tu m'invites à danser et me serres contre toi, tes grandes jambes entre les miennes, ton entrejambe pressé contre le mien, quand tu m'entends dire d'un ton de reproche :

« Thomas ! Je suis la mariée, quand même ! »

Tu m'as connue moins prude.

III

Va, tout s'en va

Tu retournes entre tes doigts l'enveloppe à en-tête de Columbia University que tu viens de trouver dans ta boîte aux lettres. Elle contient ton destin. Tu veux partir. Quitter ce Paris où Sophie que tu as rencontrée l'an dernier n'a qu'une amitié à t'offrir. Rejoindre tes deux meilleurs amis qui vivent depuis un an à New York. Tu as rempli un dossier, composé un CV où tu as mis en valeur l'association de musique classique dont tu t'occupes à Sciences-Po puisque les Américains ne valorisent rien comme l'entreprise individuelle, rédigé une lettre de motivation que tu as fait corriger par l'Anglaise avec qui tu couches, contacté des profs en insistant pour qu'ils t'écrivent les recommandations les plus enthousiastes possibles, bref, fait tout ce qu'exige le processus américain d'inscription à l'université, mais tu t'es préparé à une déception. Les places sont rares et chères. Tu déchires l'enveloppe, déplies la feuille pliée en trois.

Tu es pris.

Tu pousses un cri de victoire.

Tu lis et relis les quelques lignes de félicitation signées

par le directeur du programme en personne, qui t'appelle par ton prénom comme s'il te connaissait déjà : « *Dear Thomas* ». Comme c'est différent de la France, où un simple nom sur une liste marque la réussite ! Ici, quelqu'un s'adresse à toi, te dit le plaisir qu'il aura à te connaître. C'est ta première victoire, le premier but que tu atteins après l'avoir visé. Sciences-Po ne compte pas : c'était un examen trop facile pour quelqu'un qui a fait deux khâgnes. Une grande université américaine de l'Ivy League te reçoit en son sein. Ce master d'administration des arts que tu as dégoté quand tu as fait des recherches au Centre américain au retour de tes vacances à New York chez Sébastien et Nicolas en octobre t'ouvre les portes de l'Amérique.

Ta mère. Comment le lui dire ? Comment tiendra-t-elle deux ans sans toi qui lui téléphones tous les jours, dînes chez elle deux à trois fois par semaine, l'accompagnes au théâtre ou au cinéma ? Tu l'abandonnes. *Tu quoque.* Une petite voix te dit que ton départ lui donnera peut-être la chance de rencontrer un homme. Et ce n'est que pour deux ans. Tu reviendras pour Noël, pour l'été.

Ta mère chérie ne s'y trompe pas, chez qui tu vas le soir même pour lui annoncer la nouvelle. Elle t'étreint à t'étouffer, mais ses yeux brillent de fierté. Son fils, étudiant à Columbia. Ce n'est pas n'importe quoi. New York par la voie royale des études. À côté de toi, Sébastien et Nicolas ont l'air de deux farceurs avec leur agence de presse qui peine à exister. Tu souris : il ne faut pas exagérer. Mais c'est vrai qu'ils courent au casse-pipe, même si tu les as enviés l'an dernier et que tu as trouvé leur idée géniale. Leurs papiers sont bons ; il est juste trop dur de travailler en free-lance comme journaliste à New York quand on a vingt-deux ans et pas de nom. Toi, tu recevras une bourse Fulbright contre laquelle on ne te demande rien. Six cents dollars par mois : c'est plus que ce que leurs articles rapportent à Nicolas et Sébastien. Tu rentreras à Paris avec un diplôme qui vaut de l'or. Ta mère te voit déjà directeur de l'Odéon, du Châtelet ou de l'Opéra. Vous pleurez de rire en imaginant des programmations loufoques et vous choisissez sa place pour cet abonnement à l'orchestre que tu lui octroieras gratuitement.

New York. Tu y arrives fin août avec une grande valise. En sortant de Kennedy, tu retrouves la chaleur et l'air moite, poisseux, de l'été. Tu connais bien la ville où tu es venu voir Nicolas et Sébastien deux fois cette année, la seconde en avril, quand les cerisiers en fleur te donnaient l'impression de marcher dans un dessin japonais, mais pour la première fois tu débarques chez toi, tu n'es plus juste un touriste émerveillé par la traversée du pont de Brooklyn au coucher du soleil ou les messes de gospel dans Harlem. Tes amis ont quitté leur studio de West Village pour un deux-pièces trois fois moins cher dans Alphabet City, tout à l'est, un New York qui ressemble à un village avec ses immeubles bas et ses petites maisons, et où on parle plus l'espagnol que l'anglais. Quand tu sonnes à l'interphone, un homme t'ouvre la porte et te sourit poliment. « *Hola.* » Le trafiquant qui cache sa drogue derrière le radiateur du hall d'entrée, sans doute : ils t'ont prévenu. Tu montes les trois étages avec ta lourde valise. Ils t'attendent, Zeb et le Panda. À peine la porte s'ouvre-t-elle que les rires éclatent. Pas question d'aller se coucher, même avec le décalage horaire. Ils t'emmènent par-delà l'Avenue D, l'avenue du crack, et le FDR Drive, sur les rives au goudron craquelé de l'East River où traînent des seringues et de vieilles capotes, et où des familles hispaniques ont apporté leur barbecue pour griller des saucisses et écoutent de la musique sur d'énormes appareils. Assis sur un ponton au béton déchiqueté, vous fumez des joints en partageant des bières dissimulées dans des sachets de papier brun, puisqu'il est interdit de boire de l'alcool dans les lieux publics à New York, tout en échangeant des blagues et en contemplant le clapotis de l'eau noire et les entrepôts de Williamsburg de l'autre côté du fleuve.

Tu te couches à quatre heures et te réveilles à sept. Trop excité. Tu marches de l'Avenue C jusqu'à la Septième Avenue, vingt-cinq minutes à grandes enjambées, puis tu prends le métro sur Houston Street jusqu'à la 116ᵉ Rue à l'autre bout de Manhattan. Columbia University. Tu franchis pour la première fois le portail. Tu t'avances sur une large allée pavée bordée de buissons bien taillés et de pelouses d'un vert frais malgré la chaleur, entouré de bâtiments en briques rouges qui resplendissent sous le ciel azur. La bibliothèque ressemble à un temple grec avec ses colonnes doriques en façade. Tu t'inscris au bureau des étudiants étrangers puis épluches les petites annonces au Housing Office. Tu trouves le jour même une chambre dans un appartement sur la 122ᵉ Rue. Minuscule, un trou avec une fenêtre à barreaux donnant sur une cour sombre, une cellule vraiment, mais à cinq minutes du campus et pas chère.

Tu passes tes premières journées à te balader. C'est

encore l'été, trente-cinq degrés à l'ombre, les filles en claquettes déambulent presque à poil, les hommes torse nu portent des shorts qui ressemblent à des caleçons, tu n'as jamais vu un tel débraillé, certainement pas dans les beaux quartiers de Paris où tu as grandi mais pas non plus près de République, et tout t'enchante, les seins des femmes pointant sous les débardeurs, la chaleur, la moiteur, la sueur.

Bien sûr tu penses à Rastignac. « À nous deux, New York ! » Mais ta posture n'est pas agressive, tu ne t'apprêtes pas à prendre le taureau par les cornes, tu as au contraire l'impression de te laisser couler dans un bain de lait chaud aux amandes et au miel. Et partout, la musique. Sur les pas de porte des immeubles, des mélodies rythmées s'échappent de grosses radiocassettes. Dans le métro, des petits groupes de Blacks chantent a cappella de la musique soul ; des virtuoses aux dents gâtées jouent du tambour sur des barils en plastique renversés. Dans Central Park, dont tu fouilles les recoins sans craindre de te faire attaquer même si le souvenir de la joggeuse violée par un gang et laissée pour morte trois ans plus tôt est encore frais dans les mémoires – de l'avantage d'être un homme qui mesure un mètre quatre-vingt-dix –, tu croises des saxophonistes, des trompettistes, des violonistes, des rappeurs, des sopranos et même des castrats. Devant le lac, un vieux Chinois joue de la harpe. Chaque pas de ta promenade te réserve une surprise, sans compter le nombre de clubs de jazz où se produisent des musiciens qui ont joué ou chanté avec Art Blakey et The Jazz Messengers, John Coltrane ou Sarah Vaughan. New York musique.

Et la lumière. Quand tu émerges de ton trou intime comme un cocon, tu clignes des yeux. L'immensité du ciel bleu t'éblouit. Comment peut-il être ici tellement plus vaste qu'à Paris ? Le matin, la ville a les couleurs tranchées d'un film hyperréaliste ; le soir, une pellicule dorée enveloppe les immeubles. Au coucher du soleil le ciel est en feu. Orange vif, comme dans un tableau pompier.

Et la rivière ! Le premier matin où tu as marché vers l'échappée de lumière que tu apercevais à l'ouest, tu es passé sous un tunnel et t'es retrouvé dans un parc planté de hauts arbres t'ombrageant de leurs feuillages denses le long de l'Hudson River. Le Washington Bridge au nord créait une perspective effilée. Tu as pris la direction du sud, longeant des terrains vagues et des chantiers qui donnaient de Manhattan le visage de son inachèvement et de son devenir. Sur ta droite l'eau miroitant avec indolence offrait sa surface lisse aux rayons comme un gros lézard paressant au soleil. En deux heures tu es arrivé tout en bas, d'où tu apercevais la mer : une ville à la mesure de tes jambes.

Et Columbia. Le sujet de tes cours – du droit, de l'économie – ne te passionne guère mais la façon américaine d'enseigner te conquiert. Ici, on n'écoute pas passivement un maître qui dispense son savoir. La pédagogie est démocratique. Les professeurs que tu appelles par leur prénom n'hésitent pas à se tourner vers toi quand ils ne connaissent pas la réponse à une question d'élève sur l'histoire de l'Europe. Et la bibliothèque ! Ta carte te donne l'accès libre aux *stacks*, douze étages de rayonnages reliés par des escaliers et des ascenseurs où sont rigoureusement classées les centaines de milliers de volumes que tu peux emprunter à ta guise, les éditions originales du dix-huitième siècle comme les romans parus en France deux mois plus tôt. Tu as à ta disposition la Bibliothèque nationale et la librairie Compagnie. Rien à voir avec la mesquinerie et la méfiance françaises. Butler Library, c'est un bocal de bonbons où tu puises à pleines mains. Et la Maison française de Columbia, Buell Hall, une charmante maisonnette avec un salon au rez-de-chaussée où tu vas écouter de célèbres compatriotes que tu n'aurais jamais pu rencontrer à Paris, Jean-François Lyotard, Bernard-Henri Lévy ou la très vieille et sémillante Nathalie Sarraute, avec qui tu discutes pendant le cocktail qui suit la conférence. Le luxe de l'université américaine correspond à ton désir de largesse.

Et la nuit. Pour toi qui n'as jamais pu dormir, New York est un paradis. À l'épicerie du coin de ta rue, qu'on appelle ici un *deli*, tu peux acheter une bière, des cigarettes ou un *bagel* au *cream cheese* à quatre heures du matin. Le métro marche toute la nuit, même si on y croise après minuit des créatures étranges. Tu accompagnes Sébastien et Nicolas à des fêtes chez des inconnus dans des lofts de Tribeca ou du Meat Market où circulent toutes sortes de drogues et où vous dansez jusqu'à l'aube. Tu t'institues le correspondant artistique de leur agence et proposes des articles sur des concerts à des journaux français spécialisés qui te paient des clous mais te permettent d'obtenir une carte de presse. Les places gratuites se révèlent un excellent outil de drague. Tu deviens le roi de la nuit.

Et la campagne. Un samedi de novembre où Nicolas

me rend visite dans le Connecticut, à dix minutes en voiture de Yale où je suis professeur, tu l'accompagnes. Quand vous descendez sur le quai de la petite gare à une heure et demie de New York, l'air frais te saisit. Alex est venu vous chercher. Des champs, des arbres et des maisons de bois colorées bordent la route. Il se gare devant une petite maison en lattes de bois blanc où je vous attends, en jean et pull à col roulé, de gros chaussons aux pieds. Toi et moi ne nous sommes pas parlé ni écrit depuis mon mariage deux ans et demi plus tôt. Mes cheveux blonds tombent sur mes épaules et je n'ai pas changé. Tu ne ressens aucun trouble.

Notre maisonnette te paraît un palace par rapport à ton trou à rats d'Harlem, avec ses quatre chambres à l'étage, toutes petites mais lumineuses, dont les fenêtres à guillotine donnent sur le ciel bleu et le jardin vert vif qui sent bon l'herbe coupée. Elle est à cinquante mètres de la mer. Tu découvres une côte découpée qui ressemble à celle de la Normandie et de la Bretagne. En fin d'après-midi Alex sert l'apéritif dans le jardin. Il fait frisquet, tu lui empruntes un pull marin, vous parlez du jeune gouverneur de l'Arkansas que personne ne connaissait il y a un an, qui a grandi dans la pauvreté et qui vient d'être élu président : un de ces destins fabuleux que permet l'Amérique. Alex met en route le barbecue et grille des brochettes d'agneau dont l'appétissant fumet caresse tes narines. Un whisky dans une main, une cigarette dans l'autre, appuyé contre le dossier d'une confortable chaise longue en bois, tu entends pépier un moineau.

« Quelle bonne vie vous avez ! Cet air ! On se croirait en Bretagne. Et ce silence ! »

Tu es sincère, même si tu ne pourrais jamais vivre dans un coin si isolé de la terre.

La maisonnette à lattes blanches du Connecticut devient ta maison de campagne aux États-Unis. Tu te réjouis de quitter New York un week-end sur deux et de venir te reposer ici. À peine es-tu arrivé que je t'emmène sur la plage qui sent fort les algues. Le vent, le froid qui mord nos joues, la vue de la mer, et même les tourbillons de flocons nous exaltent. Tu me parles de New York, des nymphettes, des fêtes, des spectacles et des expositions, et c'est cela qui m'impressionne le plus, ta vie nocturne et culturelle, car j'en suis privée dans mon coin de paradis où un silence absolu tombe avec la nuit à cinq heures du soir. Je me sens parfois terriblement seule dans ce Connecticut où je n'ai qu'une amie, Elisa, étudiante en doctorat à Yale : elle est américaine, californienne, et il n'y a pas entre elle et moi la compréhension implicite qui existe entre toi et moi. Je ne sais pas comment, depuis trois ans, j'ai pu me passer de toi : il ne faudra plus se quitter. Tu souris, tu m'enlaces tendrement, toi aussi te sens bien avec moi, c'est vrai que toi et moi avons la même ironie, la même énergie, le même mépris pour les minables luttes intestines du monde universitaire, et tu t'esclaffes tandis que je te décris les vilenies de mes collègues qui peuvent me gâcher la vie mais qui, racontées, ressemblent à un feuilleton bouffon. Je te parle de l'ennui qui m'accable dès que je me retrouve dans mon bureau à l'université et du roman inspiré par mes difficultés conjugales que je suis en train d'écrire et dont tu seras certainement le premier lecteur. Je te raconte l'imbroglio dans lequel je me trouve prise entre Elisa, son ex-petit ami et la nouvelle petite amie de ce dernier. Ces histoires de campus à l'atmosphère confinée t'amusent. On rentre après trois heures de balade, les joues rouges, les chaussures pleines de sable. Tu dors dans une des petites chambres donnant sur la pelouse. Il y fait très froid comparé aux appartements de New York surchauffés. Je te passe un édredon supplémentaire et te conseille de dormir avec un bonnet. Tu émerges à neuf heures du matin après une nuit de profond sommeil où tu as sombré sans effort, toi qui as tant de mal à dormir.

Au dîner que j'organise fin février pour l'anniversaire de mon mari, tu rencontres Elisa. En anglais son nom se prononce I-laïza, et tu es surpris de découvrir que ce mot aux sonorités exotiques s'écrit banalement Elisa. Encore plus surpris de constater que cette Elisa-Ilaïza dont je t'ai tant parlé est si belle. Grande, un long cou, des cheveux d'ébène, des yeux noirs séparés par un nez droit, un léger strabisme, une peau de pêche blanche, des dents américaines et une bouche à la Lolita. Pendant le dîner elle reste en retrait, silencieuse. Toi qui franchis toutes les distances d'un geste familier ou d'un rire, sa beauté froide t'intimide. Quand tu retournes chez moi deux semaines plus tard, c'est sur Elisa que s'orientent tes questions. Tu es passionné par tous les personnages du feuilleton élisesque : le petit ami qu'elle a quitté après cinq ans sans raison apparente mais dont elle a fini par m'avouer qu'il la maltraitait, le philosophe estonien resté fidèle à une fiancée laissée à Tallinn, le guitariste alcoolique avec qui elle a rompu. Je te raconte son enfance entre une mère folle et le père artiste et sans le sou avec qui elle a choisi de vivre à douze ans, et te décris le complexe d'infériorité intellectuelle qui la paralyse. Ce que toi et moi partageons, la passion de la littérature et la désinvolture par rapport aux institutions, sont des sentiments qu'ignore Elisa, terrifiée par son directeur de thèse, un Français pourtant très gentil, le seul de mes collègues pour qui j'aie de l'amitié.

Mais ce que tu préfères, c'est le moment où je te vends ses charmes :

« Elle a des hanches larges et une taille très mince avec de petits seins : elle dit qu'elle ressemble à une poire.

— Une poire ! » Tu éclates de rire. « Oui, bien sûr ! Et ce cul... Sublime ! Qu'est-ce que j'aimerais le malaxer ! »

Assis sur les rochers face à la mer, nous élaborons des plans de séduction. Sceptique sur tes chances de réussite, je t'explique qu'à presque trente ans Elisa essaie de trouver celui qu'on appelle aux États-Unis « *Mister Right* », l'homme qui sera le père de ses enfants : un étudiant de vingt-quatre ans ne lui conviendra pas. Par ailleurs elle n'a rien d'une nonne. Elle a un besoin hygiénique et une conception californienne de l'acte charnel : il s'agit de dépenser un surplus d'énergie et de compenser un travail mental fatigant par une activité physique. Le professeur estonien lui résistant depuis des mois, elle est passablement frustrée. Aussi intime avec elle que je le suis avec toi, je lui ai vanté tes qualités d'amant. Passer une nuit à New York, sortir de l'atmosphère raréfiée de New Haven, où elle perd des heures à préparer ses cours de français débutant pour ses étudiants et reste bloquée sur sa thèse, lui ferait du bien.

Tu lui téléphones quand tu réussis à obtenir deux

places d'orchestre réservées à la presse au Metropolitan Opera. Elle décline poliment ton invitation : elle est débordée. Tu as beau lui dire que l'opéra l'inspirera pour sa thèse, ton insistance n'aboutit qu'à renforcer sa résistance. Tu raccroches, sachant déjà qu'aucune de tes nymphettes ne sera un substitut adéquat. Elle te rappelle le lendemain. Je l'ai convaincue qu'elle ne devait pas rater une pareille occasion. Elle viendra juste pour la soirée et reprendra le train vers minuit.

Le samedi après-midi tu vas la chercher à Grand Central, la célèbre gare à la voûte étoilée qui donne l'impression de se retrouver dans un film de gangsters des années cinquante. Tu guettes. Tu ne l'as rencontrée qu'une fois. La voilà. Silhouette svelte aussi gracieuse et élégante que dans un magazine féminin. Ses cheveux relevés en chignon forment une frange sur son front. Son cou de cygne émerge d'un imperméable noir dont la ceinture dessine sa taille fine, et sous lequel elle porte une jupe évasée à gros carreaux blancs et noirs. Ses chaussures noires à bride affinent ses mollets. Ton regard remonte jusqu'à son visage au nez droit, aux yeux noirs agrandis par le mascara, à la bouche peinte en rouge. C'est une beauté qui t'inspire presque de la peur quand tu t'avances vers elle. Elle te tend la main, mais tu passes le bras autour de ses épaules et la serres brièvement contre toi.

Sur le chemin de l'Opéra, tu lui racontes l'histoire de Lucie de Lammermoor. Elisa t'écoute attentivement en fronçant ses sourcils épilés, demande des précisions, bonne élève. Elle n'est jamais entrée au Metropolitan Opera et observe la fresque de Chagall dans le hall. Son français est excellent, et ses remarques d'une subtilité qui te surprend, tant j'ai insisté sur ses blocages. Elle est impressionnée que tu aies obtenu des fauteuils au troisième rang. Elle tourne parfois la tête vers toi pour t'adresser un sourire qui te donne l'envie de mordre à l'instant dans sa bouche cerise. À l'entracte, tu lui paies une coupe de champagne, grand seigneur. Tu découvres ce que j'ai omis de mentionner : Elisa est musicienne. Vous avez une passion commune qui excite en elle une verve aussi diserte que la tienne. Comme elle s'étonne que tu ne joues d'aucun instrument, tu lui expliques que tu as dû renoncer à dix ans après un an de piano quand le jugement de ta professeur au Conservatoire est tombé comme un couperet : aucun talent. Tes doigts restaient gourds, beaucoup trop maladroits.

« Il n'y a pas de mauvais élève, juste des mauvais professeurs, dit Elisa d'un ton convaincu en fronçant les sourcils : il n'est pas trop tard, si tu en as envie.

— Pas con. Pour que je te joue *La lettre à Élise.* »

Tu passes tendrement le bras autour de ses épaules, sans ajouter l'évidence : tu ne te vois pas devenir un pianiste médiocre après un travail acharné. Elle aime le jazz autant que toi : sa préférence va à John Coltrane, Cannonball Adderley, Sarah Vaughan, tandis qu'elle connaît mal Keith Jarrett et Nina Simone, tes dieux. Vous vous rejoignez dans l'adoration de Miles Davis et de Billie Holiday. Vous divergez sur le rap, qui la fascine et ne t'attire guère. Quand l'opéra s'achève à minuit, vous mourez de faim. Elle accepte de dîner dans un petit restaurant cubain de ton quartier, oubliant le train qu'elle devait reprendre. Tu n'as plus aucun doute. Elisa te suivra chez toi. C'est une séduction réussie dans les règles de l'art.

Elisa la Californienne est une championne de l'amour physique. Tu n'as jamais vu de femme aussi généreuse et douée. Elle sait ralentir son plaisir et utiliser chaque muscle de son corps. Son endurance est époustouflante. Toute la nuit, vos corps s'emboîtent dans des postures acrobatiques sans qu'elle se plaigne du moindre inconfort. Tu dois juste lui rappeler de ne pas crier à cause de tes colocataires et plaquer une main sur sa bouche le cas échéant. Ta chambre minuscule et ton matelas simple à même le sol ne l'ont pas rebutée. Vous vous endormez à l'aube dans les bras l'un de l'autre et, quand vous vous réveillez vers midi, vous recommencez. Après un brunch tardif dans un *diner* de ton quartier où vous dévorez des *French toasts* au bacon et au sirop d'érable, tu la raccompagnes à seize heures à la gare de la 125ᵉ Rue. Tu retraverses Harlem jusque chez toi en pensant à ses petits seins et à son buste fin qui contraste avec ses cuisses puissantes de mamma mexicaine. Un Piero della Francesca couplé avec un Botero, comme dans ce jeu d'enfant où l'on s'amuse à créer des personnages avec des morceaux différents. Une poire. Tu ris tout seul et les Blacks que tu croises t'adressent un sourire complice, « *Hey man* », ils devinent que tu es un amant heureux. *It's easy to live when you're in love. / And, I'm so in love, / There is nothing in life, but you.*

Le vendredi suivant, tu débarques à New Haven. Elisa t'attend à la gare. Elle habite au nord du campus. Le meurtre d'un trafiquant de drogue a eu lieu dans son immeuble l'année précédente. Elle vit au cinquième sans ascenseur et, matin et soir, descend et monte en portant à bout de bras son vélo qui serait volé si elle le laissait une nuit dehors. Tout ce que tu découvres d'elle est à mille lieues de l'image de la fille déprimée et empêtrée dans ses difficultés que t'ont donnée mes récits. Elle se débrouille remarquablement. Il n'y a qu'à voir son grand studio baigné de lumière, sobrement meublé d'un futon recouvert d'une couette blanche et d'oreillers blancs moelleux, d'un bureau, d'étagères en pin séparées par des parpaings gris, et d'une table basse faite d'une épaisse plaque de verre posée sur les mêmes parpaings. Ces blocs de béton, Elisa les a ramassés elle-même dans un chantier et rapportés un à un. Les livres sont peu nombreux mais bien choisis, Baudelaire, Verlaine, Rimbaud, Mallarmé, Paul Celan, Proust, Benjamin, Genette, Todorov, Hegel, Paul de Man, Derrida, Paul Virilio, Jacques Rancière, un mélange de poètes, de philosophes et d'essayistes qui sont tous des auteurs que tu aimes. Elle fait une thèse sur le fragment dans la poésie symboliste. Quand elle en parle, ce n'est pas très clair, mais elle n'en est qu'au début de ses recherches. Elle possède ce qui est essentiel à tes yeux : le sens de l'humour et de la perfection. Et elle est excellente cuisinière.

Elle a mis de la musique, de la bossa-nova de João Gilberto, et elle accompagne la chanson de sa voix d'alto, dont les vibrations te touchent en un endroit très sensible. Tu lui demandes pourquoi elle n'a pas continué la musique professionnellement. Elle hausse les épaules. Elle n'était pas assez bonne et n'a pas la sorte d'énergie qu'il faut pour décrocher des auditions et des contrats.

Elle ne le regrette pas. Les heures devant l'ordinateur lui conviennent mieux : c'est de la non-action proche de la méditation. Du temps hors du rythme de la vie. Tu la comprends. En attendant elle chante pour son plaisir, et le week-end parfois dans un bar de New Haven où elle travaille comme serveuse trois soirs par semaine, car le salaire de ses cours de français débutant ne lui suffit pas. C'est là qu'elle a rencontré le guitariste alcoolique qu'elle a quitté parce qu'il refusait de se soigner. Il y a cela chez elle : des convictions sur lesquelles elle ne transige pas. Tu aimes ce côté tranchant que j'appelais buté.

Vous mangez assis par terre, sur des coussins. Tu lui demandes d'ôter son tee-shirt et son soutien-gorge et ces mots te rappellent un autre Thomas, celui de Kundera dans *L'Insoutenable Légèreté de l'être*. La vision de ses petits seins fait monter en toi une excitation que tu as du mal à contenir. Bien sûr il faut travailler, et tu adores lire, installé sur son futon, tout en contemplant son dos droit, la ligne allongée de son buste, son long cou, ses cheveux noirs enroulés en chignon, tandis qu'elle tape sur son ordinateur. Elle est aussi belle en tee-shirt et pantalon de survêtement que dans la robe moulante qu'elle portait hier. Une mèche noire forme une boucle derrière son oreille et tu ne peux t'empêcher de te relever et de venir respirer cette mèche, ce cou, le lécher, laper l'oreille à petits coups de langue, et déjà Elisa, tout en protestant, s'abandonne entre tes bras.

Le week-end suivant tu lui rends visite à nouveau. Tu traverses les quartiers peu sûrs de la gare au campus, tu montes quatre à quatre les cinq étages. Une délicieuse odeur d'oignons frits émane de son appartement, ainsi qu'une musique que tu reconnais et fredonnes en prenant Elisa dans tes bras pour danser avec elle. *And you want to travel with her / And you want to travel blind / And you know that she will trust you / For you've touched her perfect body with your mind...* Elle t'accueille avec le sourire, mais tu sens une tension qui t'inquiète. Du rose aux pommettes, un léger strabisme fronçant son regard sombre, elle t'annonce qu'elle a une infection urinaire. Elle a très mal et prend des antibiotiques. Tu compatis, désolé, tout en enchaînant les jeux de mots. Tu lui jures qu'il y a mille façons de faire l'amour sans pénétration. Tu l'enveloppes tendrement de tes grands bras, tu la fais rire et vois s'adoucir la lueur sombre de ses yeux. Au bout du compte, quand vous vous retrouvez sur le futon après dîner, emmêlés, d'une caresse l'autre il devient impossible de résister à ton désir, d'autant plus qu'elle ne proteste guère. Au réveil à l'aube, sa présence est trop excitante, sa beauté trop affriolante, sa peau trop douce, et tu lui fais à nouveau l'amour.

Elisa n'a qu'un défaut : sa lenteur. Vous avez prévu d'aller voir un film, la séance est dans dix minutes et elle est encore dans la salle de bains à s'épiler ou à se maquiller : elle ne supporte pas que tu la bouscules. Elle qui se plaint de manquer de temps passe une heure chaque matin à faire des étirements et à muscler son dos avec ses haltères, comme si c'était un rite sacré – et te conseille de l'imiter. Quand elle prépare le dîner, ce n'est jamais prêt avant onze heures du soir : ton estomac crie famine. À peine lui adresses-tu un reproche que ses yeux s'assombrissent et qu'elle n'ouvre plus la bouche – pendant des heures, parfois des jours. Sa susceptibilité est encore plus grande que la tienne, et son silence aussi tranchant qu'une lame. Un jour où vous parlez calmement, elle-même reconnaît que le silence peut être agressif. Détendue, elle est la première à se moquer d'elle-même. Elle t'écrit un mot tendre où elle a collé une image de lamantin trouvée dans un magazine et qu'elle signe : « ta vache des mers ». Tu l'appelles ma petite vache, ma tortue, ma limace, mon paresseux, ou plutôt mon *sloth* qui, prononcé à la française, se confond avec *slut*, « putain ». Sa lucidité, l'humour, et surtout le désir, votre infini désir, dissolvent la tension qui monte entre vous quand tu t'impatientes. Sa peau sous tes mains, son corps en forme de poire, ses hanches larges et ses petits seins, sa croupe, son sexe noir et touffu, mais surtout sa tête au cou de cygne, à l'œil noir et au profil romain, sa tête qui a la beauté des statues grecques et des portraits du Fayoum, te donnent chaque fois la même stupeur : qu'elle dise t'aimer.

Début mai Elisa apprend qu'elle a obtenu une bourse pour étudier un an à Paris. Cela veut dire qu'à l'automne vous serez séparés par un océan. Elle te rassure. Avec l'argent de sa bourse elle pourra voyager : Paris n'est pas si loin, vous vous verrez tous les mois. En attendant, il te semble évident que vous devriez passer l'été ensemble. Il suffirait qu'Elisa sous-loue son appartement et emménage avec toi : tu ne peux pas quitter New York où tu as obtenu un stage de deux mois au City Opera. Mais, sans te demander ton avis, elle a choisi d'enseigner à l'école d'été de Yale : quatre heures de cours par jour pendant six semaines. Tu ne comprends pas pourquoi elle vous impose cette séparation alors qu'elle a une bourse généreuse pour l'année à venir et ferait mieux de passer l'été à rédiger le premier chapitre de sa thèse. Tes arguments restent sans effet : tu la sens se retirer, mutique, en ce lieu où tu n'as pas d'accès. Vous avez votre première vraie dispute. Quand tu l'accuses de ne pas t'aimer, elle t'avoue qu'elle a besoin d'argent pour rembourser des dettes.

« Mon père a emprunté dix mille dollars sur ma carte de crédit sans me le dire.

— Ton père t'a volé dix mille dollars ?

— Ce n'est pas un vol, Thomas : il a eu des dépenses liées à sa santé dont il a eu honte de me parler. »

Tu n'en reviens pas. Jamais tes parents ne t'auraient fait un coup pareil : tu te rends compte à quel point tu es privilégié. Tu n'es pas loin de penser qu'elle a l'étoffe d'une sainte.

Ce qui ne vous empêche pas de vous disputer, toujours pour les mêmes raisons. Tu as des places pour *Parsifal* au Metropolitan Opera ou Betty Carter au théâtre de Columbia : tu voudrais pouvoir, d'un bond, te déplacer à New Haven, la prendre par la main et la ramener. Tu sais qu'elle adorerait l'opéra et secouerait la tête en se traitant d'idiote parce qu'elle a failli rater Joe Henderson lui-même jouant la *Blue Bossa*. Plus tu insistes, plus ses cours de français débutant deviennent d'insurmontables obstacles. Tu n'as jamais vu une telle obstination. Mais à peine la rejoins-tu le vendredi soir que ta colère tombe. Elle a préparé un frais gaspacho. Vous montez sur son toit et faites l'amour sous le ciel étoilé. Le lendemain Elisa emprunte une voiture et t'emmène à la plage à un quart d'heure de New Haven, tout près de chez moi qui suis en France pour l'été. Tu essaies de ne plus penser au concert que tu rates à cause d'elle : la province a ses charmes.

Ce même été, tu fais grâce à ton stage une découverte importante. Le métier d'administrateur des arts consiste essentiellement à appeler de riches veuves ou des banquiers pour les convaincre de signer des chèques. Lever des fonds dans un bureau tous les jours de neuf heures à dix-huit heures, puis encore en soirée, lors de cocktails et de dîners mondains, tu t'en sais incapable. Cette année tu as suivi le cours d'un grand professeur français sur Baudelaire, et tu t'es rappelé ton unique amour : la littérature. Gagner de l'argent n'est pas une motivation suffisante : tu veux la liberté de lire, de penser et d'écrire. L'Amérique a cela de merveilleux qu'il n'est jamais trop tard pour changer de voie. Comme Elisa, comme moi, tu vas t'inscrire en doctorat de lettres en postulant pour une bourse et tu deviendras professeur, pas en France, mais aux États-Unis où l'accès aux postes est fondé sur le mérite, où un universitaire est princièrement traité, le métier prestigieux, et la vie de l'esprit respectée. Tu expliques tes arguments à ta mère, qui ne désire que ton retour, mais qui comprend. Ton père et Sébastien ont beau s'étonner de cette nouvelle idée alors que tu vas sur tes vingt-cinq ans et se demander si tu ne cherches pas simplement à retarder ton entrée dans la vie active, tu n'as aucun doute. Cet automne-là, à New York, après avoir aidé Elisa à s'installer dans l'appartement parisien qu'elle partagera avec deux colocataires, tu rassembles les pièces de ton dossier et tu déposes ta candidature pour un doctorat.

C'est peu dire qu'Elisa te manque. Son absence te cause une douleur physique. Tu penses à elle jour et nuit tandis que tu écoutes sur ton walkman Cannonball Adderley ou Thelonious Monk. Tu te mets à aimer le rap. Tu achètes un album de Steve Coleman pour le lui donner à Noël. Tu lui enregistres une cassette avec toutes les versions de *All the Things You Are*, de John Coltrane, Charlie Parker, Ella Fitzgerald, Sarah Vaughan et ta préférée, celle de Keith Jarrett, où les notes de piano bondissent avec plus d'éloquence et de force que la voix la plus pure. Tu lis et relis *Un amour de Swann*, qui décrit tes propres sensations. Mais il suffit à Swann de traverser Paris pour rejoindre Odette, tandis qu'Elisa est à des milliers de kilomètres. Un nouveau mode de communication a été inventé juste pour vous, cette année-là, réservé à quelques privilégiés dont les étudiants à l'université, qui vous permet de vous écrire dans une instantanéité que n'autorisaient pas les lettres : le courrier électronique. Quand tu cliques sur la touche « Envoi », tu sens un bref apaisement à l'idée que tes mots, à défaut de tes bras, l'atteindront dans les minutes qui suivent.

Tu passes un automne d'enfer. Jamais octobre n'a été aussi doux et ensoleillé, mais tu n'en profites pas. Tu te traînes aux cours. Rentré chez toi, tu t'allonges, tu écoutes Billie Holiday et sa voix d'enfant triste. *I sit in my chair / And filled with despair / There's no one could be so sad / With gloom everywhere / I sit and I stare / I know that I'll soon go mad.* Tu dors. Tu ne vois plus Nicolas et Sébastien, à qui tu dis elliptiquement que tu es très occupé. Ta petite chambre sombre est à l'image du trou noir qui t'aspire. Tu attends le message qui t'annoncera, non qu'Elisa a rencontré quelqu'un d'autre – elle mentira, bien sûr –, mais qu'il vaut mieux profiter de la distance pour mettre fin à votre relation.

Tu ne peux même pas aller te reposer dans la petite maison du Connecticut car nous avons déménagé et vivons provisoirement dans un endroit du New Jersey inaccessible autrement qu'en voiture. En congé sabbatique cette année, je circule entre les États-Unis et la France. Un après-midi de novembre où tu me retrouves dans un café du Village, tu me révèles ce que tu n'as dit à personne : tu es parfois sujet à des accès de dépression pendant lesquels ta vision du monde est d'un pessimisme absolu. C'est le cas en ce moment. Tu as hésité à me parler de cette humeur qui envahit ta vie telle une marée noire et tue en toi tout désir, de ce vide qui t'engloutit comme des sables mouvants. En nommant ce néant, tu tentes de lui donner une existence, de le mettre à distance, de construire une défense. Mais quel rapport entre ce noir d'encre qui te submerge quand tu es seul et ces mots que tu prononces devant un cappuccino, dans un café de New York, face à un visage ami ?

Je secoue la tête. Toi, dépressif ? Tu es la personne la moins dépressive que je connaisse. Il n'y a personne qui aime la vie autant que toi, qui en goûte mieux les plaisirs et les raffinements. Je suis certaine que ta mélancolie actuelle, qu'il faut bien admettre, vient seulement de l'angoisse causée par la relation à distance. En fin de compte, le courrier électronique n'est peut-être pas un avantage : son immédiateté qui ne te permet pas de relire tes messages joue contre toi. Ta colère paralyse

Elisa, et son silence accroît ta colère : c'est un cercle vicieux. Tu hoches la tête : c'est vrai, plus tu écris à Elisa et moins elle te répond, et vice versa. Tu la couvres de courriels jour et nuit. Tes messages sont de plus en plus furieux. Ils sont si faciles à envoyer, d'un simple clic, que rien ne te retient.

Tu te rapproches de moi, comme l'année précédente avant de rencontrer Elisa. On s'appelle presque tous les jours, on se soutient l'un l'autre. En décembre, après une crise majeure qui a failli mettre fin à mon couple, je m'installe à Manhattan avec Alex. C'est ainsi que je définis l'amour, par la capacité à survivre aux crises. Tu commences à comprendre, à être un peu moins jeune.

Début janvier tu as vingt-cinq ans. Tu les célèbres avec Elisa à Paris. Elle t'offre un pull en cachemire et un cartable dans un cuir souple de chevreau, et ces cadeaux précieux, si délicatement choisis, te semblent des signes de son amour. Vous avez passé les fêtes de Noël et du Nouvel An avec ta mère et ta sœur – ta mère amaigrie, fatiguée, qui a perdu ses cheveux après la chimiothérapie mais qui t'a accueilli avec la même joie, qui a rencontré ton amie et qui l'aime. Elisa a fait des recherches, a su te parler de ta mère en termes rassurants : le cancer du sein a été pris à temps, tout ira bien. Pendant quinze jours Elisa et toi avez fait l'amour jour et nuit.

Quand tu repars pour New York mi-janvier, tu es redevenu joyeux, énergique, tel qu'en toi-même. Tu n'as qu'un mois et demi à attendre. Début mars elle débarque à New York et vous partirez ensemble dans les Caraïbes. Tu rêves de soleil, de mer, de palmiers, de son corps enduit d'huile solaire, de chaleur, de douceur. Le

2 mars arrive enfin. Tu n'aurais pu tenir une semaine de plus. Tu vas la chercher à Kennedy. Elle atterrit à dix-neuf heures. Les yeux fixés sur la porte automatique, tu guettes la silhouette à la taille fine et aux cheveux noirs. Elle semble être la dernière à sortir. Il doit y avoir un problème avec sa valise. Typique d'Elisa. À vingt-deux heures tu réussis périlleusement à te glisser dans la zone des bagages. Il n'y a presque plus personne. Elle n'est pas là, ni près des tapis roulants, ni dans les bureaux adjacents. Soit elle a eu un accident ce matin sur le chemin de l'aéroport, soit elle a décidé à la dernière minute de ne pas venir. Tu sais, de cette alternative, quelle est l'hypothèse la plus probable. À vingt-trois heures, la mort dans l'âme, tu reprends le bus puis la ligne A. Un message de rupture t'attend sûrement chez toi. Il est minuit et demi quand tu entres dans ta petite chambre. Elisa est allongée sur le matelas par terre, à moitié endormie. Ton colocataire lui a ouvert. Tu es fou de joie et de colère. Par où est-elle sortie ? Comment a-t-elle pu te manquer, grand comme tu es ? Elle répond qu'elle a attendu, ne t'a pas vu, a cru que tu avais eu un contretemps. Elle n'a pas envie de discuter maintenant, épuisée par le voyage et le décalage horaire.

Vos vacances aux Bahamas sont à l'image de ces retrouvailles : décalées. Le ciel est bas et sombre, un vent frais souffle, une tornade menace à l'horizon. Tu sens que même ici, sous les tropiques, elle songe à sa thèse en retard. Certes, vous faites l'amour. Il n'y a rien d'autre à faire après la tombée de la nuit à dix-sept heures. Tu l'interroges jour et nuit sur la fête organisée deux semaines plus tôt par ses colocataires, où tu as appris incidemment qu'elle a dansé jusqu'à trois heures du matin. Comment a-t-elle pu oublier de mentionner dans ses rares courriels l'unique événement de sa vie parisienne, qui a eu lieu chez elle ? Ton intuition te dit qu'à cette fête elle a rencontré un homme. Elisa n'a jamais été loquace mais il y a dans ses réponses elliptiques, dans le noir opaque de ses yeux, une duplicité que seule peut expliquer la mauvaise conscience. Imitant les ruses de Swann, tu lui dis qu'après des mois d'abstinence, à la fin d'une nuit passée à boire et à danser, tu comprends qu'elle ait cédé à la tentation. Ce n'est pas un acte mécanique et sans conséquence qui pourrait détruire votre amour, mais le mensonge : tu la conjures de dire la vérité. Tu la sens près de céder, puis reculant soudain comme si elle voyait dans tes yeux le vrai motif de ton inquisition, qui n'est pas le désir désintéressé de la vérité mais la jalousie. Elisa continue à dénier, tout en laissant des zones d'ombre dans cette fameuse nuit de fête sur laquelle tes questions braquent des projecteurs. Malgré la fraîcheur de l'air vous allez nager. Le temps du bain, les miasmes délétères se dissipent. Tu attrapes un rhume, qui dégénère en sinusite quand vous rentrez à New York.

C'est la première chose que tu me dis après le départ d'Elisa :

« Elle me trompe, j'en suis sûr. »

J'ai beau rétorquer qu'Elisa t'aime, qu'elle est loyale et fidèle et que, contrairement au printemps précédent, je crois maintenant à l'avenir de votre couple à condition que tu parviennes à museler ton angoisse, et tu as beau vouloir me croire, tu sais, comme deux et deux font quatre, que ta conviction n'est pas une chimère de jalousie forgée par la distance. Ce n'est pas du pessimisme, mais de la lucidité.

Tu ne peux plus supporter l'absence. De la mi-mars à la fin mai, presque deux mois et demi, c'est trop long. Tu demandes à Elisa de venir en avril. Ce sera la preuve d'amour dont tu as besoin. Elle tergiverse. Une semaine passe sans qu'elle te communique la date de son arrivée. Tu lui écris message sur message. Un matin de la mi-avril, tu lui donnes jusqu'au soir pour acheter son billet. La nuit tombe. Elle n'a pas écrit. Tu lui envoies des messages toutes les demi-heures, tous les quarts d'heure, toutes les cinq minutes : tu lui ordonnes de te répondre. Il est quatre heures du matin à New York et dix heures à Paris, tu n'as pas dormi depuis deux semaines, ton cerveau bout. Si elle était avec toi dans ta chambre, maintenant, tu sais ce que tu ferais : tu arracherais ses vêtements, tu la sodomiserais puis l'étranglerais avec son collant. Tu la hais. Tu sens la folie qui te gagne par manque d'oxygénation. Elle est le boulet de ciment qui t'entraîne vers le fond : vous allez vous noyer ensemble. Il n'y a qu'un moyen de sortir la tête hors de l'eau pour happer l'air qui te permettra de respirer. Rompre. Casser le lien qui vous unit. La laisser partir à la dérive. À six heures du matin tu finis par écrire les mots libérateurs : « C'est fini. »

Cette fois elle répond. Elle promet de réserver son vol le jour même et te dit ce qu'elle n'a pas réussi à t'écrire jusque-là par peur de ta réaction : le voyage aux Bahamas a coûté cher et sa bourse ne suffit pas à tout payer, le loyer, les factures, le remboursement de son prêt étudiant, le coût de la vie à Paris. Elle est très en retard dans son travail et pensait que vous pouviez attendre un mois de plus, jusqu'à ta venue fin mai. Son misérable pragmatisme provoque sur tes lèvres un rictus de mépris. Vingt minutes plus tard elle t'écrit qu'elle s'apprête à acheter son billet : elle arrive après-demain. Tu lui réponds de ne pas venir. Ta décision est réfléchie. « C'est trop tard, écris-tu en sentant la jouissance atroce de ces mots définitifs qui te tuent tout en sortant ta tête hors de l'eau : c'est fini. » La sonnerie du téléphone résonne et ton répondeur se déclenche. Elle sanglote, te supplie de décrocher, répète ces mots idiots : « *I love you.* » Il est possible qu'elle t'aime. C'est un amour impossible.

Les jours suivants tu marches dans New York, tu arpentes Central Park avec, sur tes oreilles, les écouteurs du walkman où se déverse à plein volume, comme pour t'assommer, le torrent de notes du Köln Concert. Tu traverses la ville du nord au sud et d'est en ouest, tu fuis ta chambre avec le téléphone et l'ordinateur, tu t'étourdis de fatigue. Quand tu rentres chez toi, tu bois. Des alcools forts à l'effet rapide. Le matin de mon retour de Hongrie où j'assistais à un colloque, tu m'appelles. Tu as désespérément besoin d'entendre une voix amie – douce, compatissante, une main fraîche sur ton front fiévreux. Je sais ce qui s'est passé : sur le chemin de Budapest, j'ai vu Elisa à Paris le jour où tu rompais avec elle. Je te demande comment tu vas.

« Très mal. Je n'ai pas fermé l'œil depuis trois semaines. Je suis au fond du trou.

— Mais pourquoi tu as rompu ? Dès que j'ai le dos tourné, tu ne fais que des bêtises. Elisa t'aime, tu l'aimes, pourquoi toute cette souffrance ? Il y a un moyen très simple d'y mettre fin : appelle-la et dis-lui que l'angoisse t'a rendu fou.

— Tu ne comprends pas ! »

Il y a de la folie dans ton geste, oui, mais tu n'avais pas le choix : il vous sauve tous les deux. Elisa excite en toi de la haine. Elle réveille tes pires instincts.

« Je ne pouvais pas prendre de meilleure décision, Catherine. Ce n'est pas un acte impulsif. J'ai longue-ment réfléchi. C'est pour son bien autant que pour le mien. Je suis certain d'avoir raison.

— Alors tant mieux. De toute façon Elisa sort avec quelqu'un d'autre.

— Quoi ? Qui ? »

Tu as hurlé.

« Quelqu'un que tu ne connais pas.

— Son colocataire qui travaille pour Continental Air-lines ?

— Mais non. Il est homosexuel. Quelqu'un qu'elle a rencontré quand elle vivait à Paris avec Josh il y a quatre ans. »

Ton cerveau affolé passe en revue les quelques per-sonnes qu'Elisa a connues lors de son dernier séjour en France. Avec l'intuition des amants blessés, tu devines.

« Ton ami peintre ? »

Mon silence le confirme. Tu pousses un cri d'horreur. Tu raccroches.

Je te rappelle aussitôt, te demande de décrocher, te dis sur le répondeur qu'Elisa n'est pas amoureuse du peintre, qu'elle l'a revu seulement après la rupture et que cette aventure n'est que sa façon californienne de ne pas se laisser engloutir par le chagrin. Ton silence a dû me faire peur puisque tu reçois une heure plus tard un appel de ta mère, qu'Elisa a jointe, alertée par moi. Cette fois-ci tu réponds. Tu sanglotes au téléphone dans les bras virtuels de ta mère.

Deux jours après tu reçois une lettre où je te demande pardon pour ma brutalité : je n'ai pas voulu te faire mal mais seulement te mettre face à l'évidence de ton propre désir, et provoquer une sorte d'électrochoc salutaire qui te pousserait à annuler ta décision de rompre. Il n'est pas trop tard : Elisa n'attend qu'un appel de toi.

Tu as cru que j'étais ton amie. Tu m'as appelée pour me confier ta douleur et mes mots ont imprimé en toi une marque au fer rouge. Tu es certain que j'ai poussé Elisa dans les bras du peintre. Ta mère avait raison : je suis une sorcière. Tu m'envoies une réponse brève où tu écris que je suis méchante : un monstre de cruauté. Il va sans dire que tu ne veux plus jamais me voir.

Tu te terres au fond de ta chambre sombre. Ta mère t'appelle tous les jours, elle est la seule pour qui tu décroches ton téléphone, cette femme courageuse qui se bat contre la maladie pendant que tu te bats contre la douleur. Peu à peu, avec le printemps qui s'approche fin avril, la première floraison rose pâle des cerisiers qui parsèment les trottoirs d'un tapis neigeux, puis les bourgeons qui apparaissent au bout des branches nues, les fleurs de magnolia qui s'ouvrent, quelque chose en toi revient à la vie. Il y a les amis proches qui t'entourent, Sébastien, Nicolas. Tu écris des articles pour leur agence, tu les accompagnes à des fêtes le week-end, tu retrouves le goût de la drague.

Fin mai, tu reçois ton diplôme de master d'administration des arts. Mi-juin, juste avant de partir pour la France, tu trouves un bel appartement sur la 106ᵉ Rue et un colocataire pour le partager. C'est un rez-de-chaussée, mais clair, car la rue est large. L'adresse est parfaite, à dix minutes du campus, de Central Park et de Riverside Park : quand tu sortiras de chez toi, des deux côtés tu verras des arbres. Tu gardes pour toi le salon, une belle pièce avec deux fenêtres équipées de barreaux noirs convexes qui lui donnent un petit air espagnol, et n'as aucun mal à louer la petite chambre donnant sur une cour sombre pour les deux tiers du loyer : grâce à ta combine, ta chambre magnifique te coûtera deux cents dollars par mois – moins cher que le trou à rats de la 122ᵉ Rue ! Tu commences une nouvelle vie. À la rentrée tu suivras des cours de littérature. Tu seras libre. Tu as le sentiment de laisser derrière toi une peau de serpent et de renaître. Et tu sens qu'Elisa n'est pas perdue. Au message prudent que tu lui as envoyé pour lui demander si tu pourrais la voir à Paris, elle qui ne cesse de reculer devant l'écran de l'ordinateur a répondu oui aussitôt.

Quand tu entres au Café Beaubourg en ce jour de juin, quand tu la vois à l'autre bout de la salle, la tête levée vers toi, quand tu t'avances vers elle, tu ne lui tends pas la main ni ne l'embrasses sur les joues, certain que ce contact physique créerait un embrasement. Ses lunettes lui donnent l'air sévère. Une allergie aux yeux l'a empêchée de mettre ses lentilles. Elle décrit sa vie parisienne et se moque d'elle-même à sa façon habituelle : elle a très peu profité de Paris et le regrette, mais l'avancement de sa thèse représente une réelle urgence si elle veut avoir une quelconque chance sur le marché du travail cet hiver. Elle parle d'un ton sérieux, l'air concentré, comme si rien ne s'était passé. C'est du cent pour cent Elisa. Tu n'écoutes qu'à moitié, les yeux fixés sur sa bouche rouge cerise, et quand tu l'interromps pour exprimer ton envie de la mordre à l'instant, le même courant électrique vous traverse. Elle baisse les yeux avec une pudeur qui te donne une tendresse folle. Vous allez vous promener vers la Seine. Il est naturel, à la nuit tombée, de la suivre chez elle.

Le lendemain Elisa rompt avec le peintre. Sa peau, à la fois blanche et mate, appelle la caresse de ta main. Son cou de cygne ploie sous un chignon noir, la coiffure que tu préfères. Vous n'avez pas perdu votre année puisque la souffrance a produit de la certitude. Vos retrouvailles scellent un amour fait d'évidence et d'éternité. Tout ce qui était discordance, déchirure et douleur entre vous est remplacé par l'harmonie, la sérénité et la grâce. Peut-être l'amour, dialectique, a-t-il besoin de sa négation pour s'épanouir.

De retour aux États-Unis, Elisa reprend son studio de New Haven. Vous vous retrouvez le week-end, plus souvent à New Haven qu'à New York, parce qu'elle est débordée. Toi qui commences ton doctorat de littérature et ne suis que deux cours par semaine, tu ne croules pas sous le travail. Tu n'en peux plus du rythme des séparations et des retrouvailles. Tu n'envisages pas pour autant de t'installer à New Haven : c'est une trop petite ville, où tu te morfondrais d'ennui.

Vous avez prévu de sortir le vendredi ou le samedi

soir, d'aller à la cinémathèque de l'école de médecine de Yale, au théâtre ou dans un bar, et Elisa est toujours assise en lotus devant l'ordinateur dans son pantalon de survêtement qui lui fait de grosses fesses, les cheveux attachés par une pince, les lunettes sur le nez, les yeux froncés, l'air d'un âne buté, en train d'effacer la phrase qu'elle vient de taper. Elle te rappelle Jack Nicholson dans *The Shining*. Tu sais déjà ce qu'elle va rétorquer : qu'elle n'a pas le temps de sortir. On dirait qu'elle s'est fabriqué une boîte à l'intérieur de laquelle elle s'est emmurée. Tu détestes quand elle prend ses grands airs pour te dire que tu ne comprends pas parce que tu n'es qu'un étudiant de première année et que tu n'as que vingt-cinq ans alors que la vie réelle a commencé pour elle. Un soir elle t'énerve tant que tu lui envoies à la figure quelques vérités bien senties : ce n'est pas avec sa maigre thèse dont il faut lui arracher chaque phrase avec une paire de tenailles qu'elle trouvera un poste. D'ailleurs, c'est ce que pense son amie Catherine.

« Elle m'a toujours dit que tu étais butée, bornée, pas faite pour des études littéraires. »

Tu as frappé au bon endroit : Elisa, blême, veut savoir si j'ai vraiment dit des choses pareilles. Tu n'es pas mécontent de faire d'une pierre deux coups : l'éloigner de moi dont tu te méfies et te venger du tour que je t'ai joué.

Plus tard, au lit, tu la rassures. Bien sûr qu'elle n'est pas bête. Hésiter, se torturer devant chaque phrase, trouver nul ce qu'on écrit, l'effacer, c'est le signe de la plus haute intelligence. Son visage troublé par le doute est si beau, avec ses yeux de myope qui louchent légèrement quand elle ôte ses lunettes et sa bouche entrouverte sur ses dents magnifiques.

Tu essaies de la convaincre d'emménager à New York avec toi à partir de janvier. L'an prochain vous serez séparés puisqu'il faut espérer qu'elle aura un poste quelque part aux États-Unis : vous avez besoin d'une expérience de vie quotidienne. Tu es surpris d'apprendre que tes arguments sont aussi les miens. Vivant à New York alors que j'enseigne à Yale, je l'ai convaincue que les allers-retours en train trois fois par semaine étaient fatigants, mais faisables.

Début janvier Elisa s'installe dans l'appartement de la 106ᵉ Rue dont tu as expulsé ton colocataire. Elle loue un van et tu l'aides à apporter ses affaires et ses quelques meubles, dont la table basse en verre et les étagères posées sur les parpaings. Vous vous cassez le dos à transporter tous ces blocs de béton, mais leur poids est un signe de la permanence de son installation, et leur effet esthétique te plaît. Ton appartement est beaucoup plus joli.

Tu vis en couple pour la première fois. La grande pièce a retrouvé sa fonction de salon. Il est étrange de te réveiller près d'Elisa chaque matin. Comme toi, elle n'ouvre pas la bouche avant d'avoir bu son café. Après ses étirements, elle passe près d'une heure dans la salle de bains. L'étagère au-dessus du lavabo est occupée par son mascara, ses rouges à lèvres, le liquide pour ses lentilles de contact, le fil dentaire qu'elle te conseille d'utiliser en te garantissant qu'il sauvera tes dents de la chute – sur certains sujets elle est une redoutable prosélyte, par exemple quand elle veut te convaincre de muscler ton dos avec ses haltères ou d'écouter The Notorious B.I.G. qu'elle appelle le Miles Davis d'aujourd'hui. Même si tu ne sors presque plus parce qu'elle est trop fatiguée le soir, tu apprécies cette nouvelle vie pantouflarde – et saine : les matins du week-end, vous courez ensemble le long de l'Hudson ou dans Central Park. Et joyeuse : du lever au coucher, et la nuit, vous ne cessez de rire. Les jours où elle ne va pas à New Haven, un fumet d'oignons grillés, de poivrons rôtis, d'agneau à la coriandre se répand dans l'appartement tandis que tu lis dans le salon en buvant un verre de pomerol et en écoutant un concerto de Brahms. Tu te sens installé. Vous mangez à la table basse en verre, assis sur des coussins par terre, devant la télévision où, comme l'Amérique entière, vous suivez le procès d'O. J. Simpson, plus fascinant que le plus fascinant des feuilletons, éblouis par la plaidoirie de Cochran et tous deux d'accord sur le fond : même s'il ne fait aucun doute qu'O. J. Simpson a massacré sa femme et l'amant de cette dernière, même si l'argent achète sa liberté, n'est-il pas juste, après tout, dans cette Amérique à deux poids deux mesures, qu'un coupable noir soit pour une fois acquitté ?

Qu'Elisa n'obtienne qu'un seul entretien en décembre ne t'a pas étonné : après des années de travail acharné, sa thèse ne compte que soixante-dix pages. Tu es davantage surpris quand elle reçoit fin janvier le coup de fil l'informant qu'elle est prise, le candidat favori ayant accepté une autre offre. Elle-même n'arrive pas à le croire : elle enseignera l'an prochain dans la très bonne université Williams, au cœur des montagnes du Berkshire. Tu achètes une bouteille de Veuve Clicquot pour fêter son succès. Elle ne semble guère penser à votre séparation. Tu ne pourras pas vivre là-bas, puisque tu as tes cours à suivre et d'autres à donner. Williams n'est qu'à quatre heures de car, dit-elle : vous vous retrouverez le week-end. Tu trouves qu'elle mentionne un peu trop souvent son futur patron, un homme de cinquante ans qui vient de divorcer. Quand tu lui en fais la remarque, elle hausse les épaules : « Thomas, il est vieux ! » Elle a beau lever les yeux au ciel, tu pressens ce qu'elle ignore encore.

Vous vous disputez de plus en plus. Tu t'énerves quand elle ne peut plus payer la moitié des factures à la fin du mois parce que les allers-retours en train lui coûtent cher alors qu'elle a acheté une autre paire de bottes italiennes ou une casserole Le Creuset dont elle n'avait nul besoin. Tu t'énerves quand elle rentre à dix heures du soir au lieu de neuf heures parce qu'elle s'est laissé engluer dans une conversation avec un étudiant sans penser qu'une vie commune implique des horaires réguliers. Épuisée par ses cinq heures de cours et ses cinq heures de voyage, elle n'a pas envie de parler et pas envie de toi. Moins elle réagit, plus tes insultes s'enrichissent de nouveaux noms d'oiseau, surtout quand tu as bu, et tu bois trop.

Il y a encore de beaux moments, comme l'extraordinaire concert de Keith Jarrett en juin à la salle Pleyel, à Paris où vous passez l'été – une soirée inoubliable où vous unit votre admiration pour la rigueur sans compromis du grand pianiste qui menace de s'arrêter de jouer après avoir entendu un spectateur tousser –, et cet autre concert à la Villette mi-juillet, où la magnifique Abbey

Lincoln, inspirée par Billie Holiday, te fait la surprise de chanter en français une des chansons préférées de ton adolescence que les nombreux spectateurs reprennent en chœur. Tes larmes coulent quand tu entends sa voix de Noire américaine qui roule les *r* dire ces mots de Léo Ferré, *Avec le temps, va, tout s'en va / L'autre qu'on adorait, qu'on cherchait sous la pluie, / L'autre qu'on devinait au détour d'un regard / Entre les mots, entre les lignes et sous le fard / D'un serment maquillé qui s'en va faire sa nuit / Avec le temps tout s'évanouit...* Malgré ces moments d'harmonie, la distance entre vous est de plus en plus grande. La séparation se rapproche sans que vous en parliez et tu la sens qui s'en va, qui est déjà partie, qui vit en esprit là-bas dans les montagnes du Berkshire, qui t'a quitté. Le soir tu sors avec tes amis tandis qu'elle préfère se coucher et dormir.

Une nuit où tu rentres encore plus tard que d'habitude, tu ouvres la porte d'entrée et vois dans le couloir la moitié des deux matelas que vous avez combinés pour en faire un grand lit. Elisa te met dans le couloir comme un chien : une telle rage t'étreint le cœur que tu entres bruyamment dans la chambre pour la réveiller. Elle ne dormait pas, et quand elle commence à te faire la morale en te disant que tu la déranges chaque nuit et qu'elle a du mal à travailler parce qu'elle est fatiguée, elle t'inspire tant de haine que tu la gifles. Le claquement de ta main sur sa joue te surprend autant qu'elle. Elisa fond en larmes, tu t'excuses et tu pleures, vous tombez ensemble sur vos matelas hâtivement rejoints.

Le matin où tu entends à la radio que Nina Simone a été arrêtée dans son village de Provence pour avoir blessé d'un coup de pistolet à grenaille un adolescent qui faisait trop de bruit dans un jardin voisin, tu n'as aucun mal à imaginer la colère montante de la diva en entendant les cris et les rires idiots des garçons de quinze ans plongeant dans la piscine. Silence ! Répondre à la bêtise, à l'insolence, à l'égoïsme, à la médiocrité, par une balle de pistolet. Tu le comprends, ce désir de tuer. Tu as demandé à Elisa de poster une lettre pour toi et quand elle arrive avec une heure de retard, elle a oublié. Ce simple geste, extraire une enveloppe de son sac à main et la glisser dans une boîte aux lettres, elle en est incapable. Sortir une minute de la bulle où elle est enfermée pour se rappeler quelque chose qui te concerne dépasse son pouvoir. Elle te raconte une histoire confuse de chute à vélo et de douleur à la cheville. Vous deviez aller ensemble à un concert.

« Tu es trop conne. J'y vais sans toi. »

Tu t'en vas. Quand tu rentres à trois heures du matin après avoir descendu plusieurs bouteilles chez Christophe avec Sébastien, Matthieu et Nicolas, Elisa n'est pas dans l'appartement. Son ordinateur n'est plus sur la table ; ses livres non plus. Dans le placard les portemanteaux se balancent, dépouillés de ses robes. Elle t'a laissé un mot t'informant qu'elle était chez moi.

Trois jours après tu l'appelles. Sa voix au téléphone te brûle comme si tu touchais un brasier. Cela fait trois jours que tu n'as pas dormi. Tu ne veux qu'une chose : la tenir entre tes bras. Tu exiges de la voir à l'instant, toutes affaires cessantes. L'amour n'attend pas. Elle a rendez-vous pour déjeuner avec une amie. Tu es sûr qu'il s'agit d'un homme. Tu as beau insister, elle refuse d'annuler. Quand tu commences à l'insulter, elle t'avertit :

« Thomas, je vais raccrocher. »

Elle raccroche.

Fin août, elle vient chercher ses affaires à New York avec un van de location pour les emporter à Williams. Elle récupère ses haltères et t'abandonne ses parpaings.

DEUXIÈME PARTIE

À L'AMI DONT ON N'A PAS SAUVÉ LA VIE

I

Le Yéti

Tu éteins ton réveil, te lèves en titubant, enfiles une chemise et un pantalon, te rases en musique, réchauffes du café, et à neuf heures moins le quart tu es dehors. Même en marchant vite tu seras en retard, mais pour dix minutes ton chef ne dira rien. Le soleil fait cligner tes yeux. Tu as oublié tes Ray-Ban. Tu entres dans le parc d'un pas allègre et longes au niveau de la 96ᵉ Rue le réservoir où tremblotent sur l'eau miroitante les formes géométriques des gratte-ciel. Les *Manhattanites* sont nombreux à y faire leur jogging le matin. De jeunes femmes minces en débardeur moulant et des hommes torse nu te dépassent en courant. Chaque matin la traversée du parc te donne le même plaisir. Encore une journée magnifique. Tu déjeuneras tout à l'heure à la cafétéria de la Boat House, au bord du lac, avec la sémillante attachée audiovisuelle.

La trentaine approche et tes amis se casent. Sébastien est rentré à Paris où il a accepté un poste à *Libération* et s'est installé avec sa copine ; Nicolas vit en couple et travaille chez un agent littéraire new-yorkais ; Sophie a

97

créé sa maison de disques et emménagé avec son amie ; Christophe a passé l'agrégation et s'est marié avec son Irlandaise ; Matthieu est devenu chef dans un grand restaurant du neuvième ; même ta petite sœur qui n'a que vingt-six ans a trouvé un emploi dans une entreprise, et elle vient de t'annoncer qu'elle était enceinte. Toi, tu es toujours étudiant et célibataire. Tu habites toujours ton appartement de la 106ᵉ Rue, que tu partages toujours avec un colocataire qui paie les trois quarts du loyer. Tu aimes toujours autant New York et n'échangerais ta vie contre celle de personne.

Tu passes derrière le Metropolitan Museum, tu franchis la Cinquième Avenue et entres avec fierté dans le bâtiment surmonté d'un drapeau que ses murs épais protègent suffisamment de la chaleur pour qu'il n'ait pas besoin d'être réfrigéré comme les bureaux américains. Tu échanges quelques mots avec le garde dont la fille va bientôt se marier, tu salues la statue de Cupidon attribuée à Michel-Ange et tu montes d'un pas vif au deuxième étage par le vaste escalier de marbre blanc recouvert d'un tapis rouge. Tu te sens ici comme chez toi. Tu es à New York, mais en France : sur ton territoire. Le bureau que tu partages avec deux assistants a une vue royale sur les arbres de Central Park. Tu commences à te demander si une carrière aux services culturels ne serait pas idéale. Organiser des événements, questionner des artistes, des cinéastes, des romanciers et des intellectuels, créer des feux d'artifice de paroles, c'est ton talent. Tu as su en convaincre le conseiller culturel quand tu l'as rencontré à un cocktail à Columbia il y a trois mois. Ils avaient besoin de quelqu'un pour l'été en attendant une nouvelle nomination du ministère. Il t'a demandé de lui envoyer ton CV, et voilà. Ce stage t'ouvre une voie que tu pourras emprunter sans avoir fait le Quai d'Orsay.

Le consulat prépare la visite d'un ministre, et c'est toi qu'on charge de l'accompagner pour lui servir de traducteur : un honneur. Tu es désireux de te distinguer, de lui montrer que tu n'es pas n'importe quel petit aide, pas seulement par la taille. C'est un ministre de gauche, sympathique, intelligent, érudit : il a même lu Crébillon fils. Tu te sens aussi à l'aise avec lui que si c'était un ami de ta mère, et tu lui prodigues des conseils sur le processus d'inscription aux universités américaines pour sa fille de vingt ans étudiante à Sciences-Po. Le deuxième matin, tu te lèves encore plus tôt : vous êtes attendus à l'ONU pour une rencontre avec des grands de ce monde. Tu mets une veste, noues ton unique cravate, un cadeau de ta mère, et te paies un taxi pour être sûr de ne pas arriver en retard. C'est la première fois que tu mets les pieds dans la tour des Nations unies le long de l'East River, devant laquelle sont plantés tous les drapeaux des pays membres. Il faut montrer son passeport et passer par les portillons de sécurité, mais, quand on fait partie de la délégation française et qu'on accompagne un ministre, on est entouré d'égards. C'est plaisant. La politique a quand même plus de panache que l'université, ce tout petit monde sans pouvoir assoiffé de pouvoir. Lors du petit déjeuner avec les chefs d'État, la discussion sur le processus de paix au Moyen-Orient est si passionnante, suscite en toi tant d'idées, que tu élèves la voix et interviens pour les communiquer. Netanyahou t'écoute avec intérêt. Tu le vois qui se penche et parle à l'oreille d'un aide. Il demande sans doute qui tu es.

De retour à ton bureau, tu es convoqué par le conseiller. Les nouvelles vont vite. Tu entres dans la pièce, prêt à remercier chaleureusement et modestement l'homme qui t'a permis de rentrer aux services culturels et va sans doute s'excuser de ne pouvoir t'offrir qu'un poste à contrat local – les meilleurs, en réalité, même s'ils sont moins rémunérés et ne bénéficient pas des avantages de l'expatriation, car leur durée n'est pas limitée : on peut les renouveler indéfiniment. Sans attendre que tu t'asseyes, il t'annonce que tu es congédié. Tes yeux s'écarquillent de stupeur.

« Quoi ? C'est un malentendu !

— Au lieu de traduire ce que disait le ministre, monsieur Bulot, vous lui avez coupé la parole et vous avez osé parler au nom de la France ! Vous avez perdu tout sens de la hiérarchie. »

C'est irrévocable. Tu es prié de sortir à l'instant et de ne plus remettre les pieds aux services culturels de l'ambassade de France. Le garde t'accompagne, désolé : il t'aimait bien. Tu n'as même pas le temps de dire au revoir à l'attachée audiovisuelle. Tu te retrouves sur la Cinquième Avenue, sonné. Tu as toute liberté d'aller te promener dans le parc, maintenant. Mais tu en as perdu l'envie.

Nicolas est mort de rire quand tu lui racontes l'incident. Même si son rire joyeux, que tu partages bientôt, apaise la brûlure de l'humiliation, tu n'es pas fier de cette bourde qui met fin à une carrière diplomatique que tu aurais pu choisir.

C'est une bourde que jamais, au grand jamais, n'aurait commise quelqu'un comme Proust. Tu te rappelles ce passage de la *Recherche* où le narrateur, à une réception, voit de loin le duc de Guermantes converser avec un roi ou une reine et lui faire de grands signes comme pour lui dire de s'approcher. Tu aurais accouru aussitôt et te serais joint à leur conversation, alors que le narrateur est resté à l'écart en faisant de loin un petit salut. Dès le lendemain les Guermantes ont complimenté les parents de Marcel sur l'excellente éducation de leur fils et l'élégance de ses saluts, en omettant la vertu essentielle de celui qui leur avait tant plu : sa discrétion.

En fin de compte, malgré ton entregent et ton aisance, mieux vaut que tu converses avec les morts : ils sont moins prompts à relever tes erreurs. Tu seras universitaire.

Tu as fini la première partie du doctorat et choisi l'an dernier de faire ta thèse sur Proust : avec quel autre auteur aurais-tu eu envie de passer les trois ou quatre années à venir ? Le continent que tu vas explorer n'est pas vierge et tu devras, comme on dit, te taper des volumes d'apparat critique ennuyeux. Mais la lecture de Proust te réanimera. Proust, c'est le meilleur médicament qui soit, le sel de la vie, le seul à pouvoir t'extraire de la médiocrité. Tu as défini un sujet gigantesque, à ta démesure : Proust et le classicisme. Tu comptes montrer que Proust s'est distingué, par sa germanophilie musicale, d'écrivains nationalistes et antisémites comme Maurras, Daudet et Barrès, qui ont récupéré les classiques français au tournant du siècle. Ton travail, qui s'appuiera sur ta connaissance approfondie de la musique, te permettra d'abord l'aspect politique de l'œuvre. Un choix malin : tout ce qui est politique plaît aux universitaires américains.

Tu as une autre idée, qui est comme l'extension artistique de ta thèse : enregistrer sous le label de ton amie Sophie un disque autour de Proust musicien, qui entrelacera ses textes sur la musique et les morceaux qu'il aimait. Tu ne peux imaginer de plus bel hommage au maître que ce poème de mots et de sons. Ta voix lira les textes ; Sophie t'a présenté une jeune pianiste dont la ferveur proustienne égale la tienne et qui possède cette chose inouïe, une lettre manuscrite de Proust à Reynaldo Hahn achetée à une vente aux enchères sur laquelle tu as posé les yeux avec révérence, superstitieusement ému de constater que les *d* de Proust ressemblaient aux tiens. Dès que tu es en France, Sophie, la pianiste proustienne, son mari violoniste et toi passez de longues soirées hilares et bien arrosées à mettre au point le projet.

Pour ta thèse, tu as sur place le directeur tout trouvé : professeur à la Sorbonne et à Columbia, il fait de constants allers-retours entre les deux continents. Un pied à New York et l'autre à Paris, dans les institutions les plus prestigieuses : c'est la vie que tu souhaites mener plus tard. Auteur d'ouvrages de référence sur Montaigne, Baudelaire et Proust, l'homme est reconnu en France comme une sommité. Son cursus est étonnant : c'est un ancien centralien et un ancien polytechnicien, dont il a d'ailleurs l'allure un peu raide. Un matheux qui a viré vers la littérature. Tu aimes qu'il ne soit pas spécialiste d'un seul auteur. L'extrême précision de son savoir te fascine. Qu'il accepte de diriger ta thèse est un honneur.

Ta vie s'est recentrée au nord de la ville depuis que Sébastien est rentré à Paris. Nicolas, pris par de nouvelles amours et par sa vie professionnelle, est devenu plus distant. Tu ne m'as pas revue depuis ta rupture avec Elisa ; tu sais par mon frère que j'ai quitté New York et vis depuis trois ans entre New Haven où j'enseigne et Prague où Alex a trouvé un emploi. Tu t'es fait deux nouveaux amis à Columbia : Sam qui vient d'une petite ville d'Alabama et travaille avec le même directeur de thèse que toi sur les poèmes en prose de Baudelaire et de Mallarmé ; Tony, un Italo-Américain de Detroit avec qui tu écris un scénario hollywoodien destiné à faire votre fortune – une histoire d'amour semi-fantastique entre New York et les Bahamas – et passes des nuits à discuter de Deleuze et de Gramsci ou encore des frasques de Bill Clinton, décidément de plus en plus sympathique. Dans quel autre pays du monde trouve-t-on un président qui joue du saxophone, fume de la marijuana sans inhaler la fumée et se fait tailler des pipes dans le bureau ovale sans commettre d'acte sexuel ? Tu as adoré cette phrase que Bill a prononcée devant le grand jury : « *It depends on what the meaning of "is" is.* » Les États-Unis sont devenus ce merveilleux pays où l'art de la fellation et les nuances de la grammaire remplissent les débats politiques : une vraie farce.

Cette casuistique fait rire ta mère autant que toi quand elle a la force de rire. Tu passes toutes tes vacances à son chevet. Après l'ablation du sein et la chimiothérapie, il y a eu rémission : on a cru qu'elle s'en était sortie. Lors d'un contrôle de routine en septembre, on a découvert que le cancer avait métastasé. L'hiver tu trouves des billets pas chers, et New York n'est pas loin de Paris. Tu surprends parfois ta mère le temps d'un long week-end. Son visage rayonne dès qu'elle te voit. Sa tête sans cheveux te bouleverse. En sortant de l'hôpital, tu pleures dans les bras de Christophe qui t'a accompagné en voiture. Fin novembre tu emmènes ta mère à Venise. Pendant trois jours enchanteurs vous vous promenez dans le labyrinthe des ruelles, sur les Zattere, dans le quartier de l'Accademia, elle suspendue à ton bras, trop heureuse d'être avec toi pour te dire qu'elle est fatiguée. Au retour elle est épuisée. C'était sans doute votre dernier voyage. Tu ne peux pas croire qu'un jour elle va disparaître : l'amour qui vous lie est trop fort.

En mars ta sœur accouche d'une fille dont tu es le parrain. La vision du minuscule nouveau-né, de ce nouvel être formé du même sang que toi alors que ta mère va vers sa disparition, t'émeut plus que tu ne t'y attendais. L'idée que ta sœur que tu connais par cœur, ta sœur gentille à la parole parfois coupante et à l'esprit pratique, ta sœur sur qui on peut compter, ait fabriqué un être indépendant d'elle, une toute petite fille à la tête parsemée de frisottis blonds et aux grands yeux ronds, te stupéfie. C'est la chose la plus réelle qui te soit jamais arrivée.

Dès que les cours s'achèvent, fin avril, tu sautes dans un avion et tu vas retrouver ta mère, ta sœur et le bébé. Sautes, si l'on peut dire, car tu as atrocement mal au genou, et il faut t'opérer du ménisque cet été-là, tandis que ta mère meurt.

Elle a disparu, celle qui t'adorait inconditionnellement mais ne cessait de te comparer à tes amis qui réussissaient mieux que toi, celle à qui tu n'as pas eu le temps de faire cadeau d'un livre, celle au cœur de qui tu te plaçais pour juger même la personne la plus insignifiante. Ta sœur, ton père et toi l'enterrez dans le cimetière normand. Hormis Nicolas, tes amis les plus proches sont là, tous ceux que connaissait et aimait ta mère, et qui l'ont entourée dans ses derniers moments : Sébastien, le Zeb, le plus loyal des amis ; Christophe Herbaut, le plus tendre, ton Bô que tu as envie de serrer dans tes bras dès que tu le retrouves ; Matthieu Leloup, le Wolf attentif et généreux qui a cuisiné pour ta mère de petits plats exquis quand elle pouvait encore les savourer. Vous roulez tous les quatre ensemble jusqu'en Normandie dans la Volvo que Sébastien a empruntée à son père, quand le Wolf décrète une urgente envie de pisser. Vous vous arrêtez au bord de l'autoroute, et tu écoutes mélancoliquement son jet qui n'en finit pas. Un sourire étire soudain ta bouche.

« Le Calvados va être inondé : il faut déclencher le plan Orsec ! »

Tu portes à tes oreilles les écouteurs de deux téléphones imaginaires, tu t'agites, tout ton corps s'anime, tu es tour à tour Chevènement, le préfet du Calvados et le maire de Caen, tu distribues des directives aux pompiers.

Dans le cimetière, tu te tiens aux côtés de ta sœur. Elle est protégée par l'existence de la toute petite fille qu'elle allaite, et dont tu es le parrain. Elle a une force tranquille. Vous êtes des orphelins, et la proximité entre vous n'a jamais été si grande.

Tu marches avec des béquilles depuis ton opération.

Devant la tombe, tu lis le long poème que Baudelaire a dédié à son ami Maxime Du Camp, *Le Voyage*. Alors que tu profères les dernières strophes, « Ô Mort, vieux capitaine, il est temps ! levons l'ancre ! / Ce pays nous ennuie, ô Mort ! Appareillons ! / Si le ciel et la mer sont noirs comme de l'encre, / Nos cœurs que tu connais sont remplis de rayons ! », dans l'élan de ta déclamation tu lèves les bras vers le ciel en oubliant qu'y sont harnachées deux béquilles, provoquant les rires de tes amis qui pleurent.

L'automne précédant le nouveau millénaire est celui où tu rencontres Ana.

Tu la remarques au cocktail de bienvenue du département. Brune, les traits fins, une frange, les cheveux attachés en chignon, un long cou comme Elisa, de beaux yeux gris derrière ses lunettes rondes, une taille frêle, quelque chose de Charlotte Gainsbourg dans *La Petite Voleuse* et *Jane Eyre*.

Elle te remarque également. Il est difficile de ne pas te repérer car tu dépasses tout le monde d'une tête et parles et ris plus fort que les autres. Alors que quelqu'un évoque la fidélité des chiens, tu fais une plaisanterie sur le « *doggy style* » dont le contenu sexuel fait résonner son rire frais. Elle s'appelle Ana, elle a tout juste vingt-trois ans, elle vient de Bucarest. Roumaine ! Ton intérêt redouble. Elle a passé deux ans à Paris et parle français couramment. Elle a rejoint ici sa sœur aînée qui étudie la biologie à Columbia, et avec qui elle partage un appartement. Ses parents vivent toujours à Bucarest où ils sont professeurs. Une scientifique, une littéraire, deux boursières à Columbia : une famille brillante. Il n'y a que huit ans de différence entre vous, mais c'est presque une différence de génération. Ana avait douze ans quand le mur est tombé. C'était une petite fille maigre avec deux nattes brunes qui allait l'après-midi à des cours de danse.

Depuis la rupture avec Elisa cinq ans plus tôt, tu as couché avec une multitude de filles. À New York les hommes qui aiment les femmes se font rares. Tu es grand. Tu plais. D'un regard, d'un mot que tu accompagnes parfois d'un geste audacieux ou d'un enlacement affectueux, tu établis avec une parfaite étrangère une intimité immédiate. Ana t'intimide étrangement. La fermeté qui se dégage d'elle sous ses allures de petite fille malingre ? Tu te verrais bien en M. Rochester, mais, quand tu lui proposes d'aller boire un verre, elle te répond qu'elle n'a pas le temps, débordée par les lectures, les cours, l'installation.

À l'automne tu la croises dans le département. Elle reste distante – à croire qu'un vent malveillant a propagé à ses oreilles ta réputation de séducteur. En janvier tu entres dans une salle de classe à Barnard pour assister au séminaire d'un poète français invité pour le semestre : Ana est là, seule autre étudiante en doctorat de Columbia. La coïncidence vous rapproche. Vous prenez l'habitude de déjeuner après le cours. Tu apprends qu'elle est poète et a publié un recueil dans sa langue natale : vingt-trois ans et déjà auteur. Elle te lit un de ses poèmes en roumain et, même si tu ne comprends pas tout, tu es sensible à la musique de la langue. Ana est si franche, sérieuse et bonne camarade, elle cherche si peu à te plaire, que tu n'es pas certain qu'elle éprouve autre chose pour toi qu'une amitié de collègues. Un soir où tu l'invites à un concert de jazz dans un nouveau club du Lower East Side, le Tonic, tu effleures son épaule : le contact dégage des particules d'électricité entre vous. Tu sens enfin son désir. Tu n'es pas pressé. Tu pressens qu'elle ne sera pas juste une des multiples filles que tu ramènes chez toi pour une ou deux nuits. Tu attends une semaine avant de l'inviter à boire un dernier verre chez toi. Quand la sonnerie de la porte d'entrée vous arrache à neuf heures du matin au repos du guerrier, tu es doublement fier : d'annoncer à Ana que l'intrus est Tony, qu'elle trouve très intelligent, et avec qui tu as rendez-vous pour travailler à votre scénario de film, et, surtout, de constater la surprise envieuse de Tony quand, après avoir attendu dans l'entrée dix minutes parce qu'« une femme » devait se rhabiller, il voit sortir de la chambre la jeune, brune, jolie, rieuse Ana.

Ce sont les tout débuts de votre relation quand Ana rompt par téléphone sans une explication alors que tu l'appelais pour lui proposer d'aller voir un film. De la soirée de la veille ne te remontent que des souvenirs de tendresse et de gaieté. A-t-elle pu rencontrer quelqu'un d'autre en si peu de temps ? Tu paniques. Tu m'appelles, affolé.

Toi et moi nous sommes réconciliés. Après la mort de ta mère je t'ai écrit une lettre de condoléances qui t'est allée droit au cœur, en ajoutant qu'Alex et moi nous réinstallions à New York en janvier avec notre bébé et que notre porte t'était ouverte. Tu m'as remerciée par une lettre brève, d'un ton précautionneux, où tu m'as félicitée pour la naissance de ma fille. La mort et la naissance ont effacé le passif des années précédentes : une amitié nouvelle peut naître, distante, prudente et respectueuse. Tu es venu dîner chez nous avec Ana la semaine précédente. Entre Alex et elle il y a eu une immédiate communauté de langue et de culture. Elle nous a beaucoup plu. Toi avec ta Roumaine, moi avec mon Roumain : enfin une parfaite égalité entre nous.

C'est la première fois depuis six ans que tu me racontes quelque chose d'intime et me demandes conseil. Le traumatisme de ta rupture avec Elisa cinq ans plus tôt est encore frais et tu as peur de moi, peur du mal que je peux te faire, mais j'ai rencontré Ana et tu fais confiance à mon intuition féminine.

« Qu'est-ce qui s'est passé, Thomas ?

— Rien, justement. On s'est vus hier soir, tout allait bien ! Elle est partie à deux heures du matin comme d'habitude.

— Elle ne dort pas avec toi ?

— Non. J'ai du mal à dormir et j'aime me réveiller seul. Elle aussi. Le matin, c'est son meilleur moment pour écrire. Cette nuit, c'est vrai, elle n'avait pas envie de se rhabiller et de s'en aller, j'ai presque dû la foutre à la porte. Elle habite à dix minutes de chez moi, ce n'est pas la fin du monde ! Je l'ai appelée cet après-midi et elle a rompu.

— Hmmm. Elle n'a peut-être pas apprécié tant que ça d'être mise à la porte. »

Je te conseille d'aller la voir et d'insister pour obtenir l'explication à laquelle tu as droit. Ana est gentille et intelligente, vous allez bien ensemble, tu ne peux pas renoncer sans comprendre. Je suis sûre que c'est un malentendu, que tout va s'arranger.

Tu m'appelles le soir, la voix joyeuse. Tu es allé sonner chez elle après notre coup de fil. Elle t'a reçu sur le seuil de sa porte, avec une telle froideur que tout geste semblait impossible. Tu as exigé une explication. Elle n'avait pas le droit de te jeter dehors sans un mot, comme si tu étais un kleenex qu'elle mettait à la poubelle après utilisation. Tu as répété le mot « droit » que j'avais employé. Ana qui n'est pas une sentimentale a été sensible à cet argument. Elle a fini par te révéler ce qui s'était passé.

En rentrant chez elle à deux heures du matin, au lieu de passer par Broadway où il y a toujours du monde, elle a décidé de prendre Amsterdam pour aller plus vite ; à quelques portes de chez toi, deux hommes l'ont attirée dans l'ouverture d'une trappe conduisant à une cave et ont essayé de fourrer quelque chose de blanc dans sa bouche, une drogue sans doute. Elle s'est débattue, elle a hurlé. Miraculeusement un homme est passé près de la trappe à ce moment-là, un Noir courageux qui n'a pas hésité à faire face aux deux violeurs qui auraient pu le tuer s'ils avaient été armés. Il l'a sauvée et raccompagnée, alors que son corps tremblait si violemment de l'après-coup de la peur qu'elle pouvait à peine mettre une jambe devant l'autre. Cette peur atroce, la conscience de sa vulnérabilité ont déclenché rétrospectivement sa colère contre toi. À Bucarest, jamais un homme ne mettrait dehors la fille qu'il aime à deux heures du matin. Jamais il ne la laisserait partir sans la raccompagner. Bucarest est moins dangereux qu'Harlem. Tu ne l'as pas protégée.

Tu te récries d'horreur, bénis le Noir sauveur. Tu vois les deux hommes attrapant Ana, maintenant ses bras par-derrière, posant leurs sales mains sur son visage, son cou, sa bouche, l'insultant, puant la peur, l'excitation et la haine. Tu imagines Ana violée et assassinée à quelques portes de chez toi, fait divers dans le journal du lendemain. Tu as horreur des hommes, de leur désir, de leurs pulsions meurtrières. Avec ton mètre quatre-vingt-dix, tu te sens en sécurité dans les rues de New York à toute heure du jour et de la nuit. Tu te mets à la place d'Ana qui mesure un mètre soixante-deux et qui pèse quarante-six kilos. Un oiseau. Tu la prends dans tes bras, tu te confonds en excuses, tu la supplies de te pardonner, tu dis : « Plus jamais. » Tu n'arrives pas à croire qu'elle n'est pas retournée sonner à ta porte après l'attaque. Dorénavant elle dormira chez toi ou tu la raccompagneras. Elle cède. Elle te donne une autre chance.

Tu es plus attentif et tendre que tu ne l'étais avec Elisa. Tu as mûri. Tu ne veux pas la perdre.

Ana aime tout de toi. Elle te trouve plus beau que le David de Michel-Ange, qui peut aller se rhabiller. Sexuellement elle est un peu novice, mais désireuse de s'améliorer. Elle adore la gaieté qui jaillit de toi comme un visage caché derrière un rideau. Alors qu'elle évoque un professeur du nom de Bloch, tu cites Mallarmé : « calme bloc ici-bas chu d'un désastre obscur », puis te penches sur elle et souffles dans son cou en avançant les lèvres, les yeux riants : « Chu ! » Elle aime ton amour des sons. Depuis qu'elle t'a entendu dire « Schön-von-der-Luft », elle ne nomme plus Baudelaire autrement. Elle adopte ta mythologie, appelant tes amis, même ceux qu'elle n'a pas encore rencontrés, Zeb, le Panda, le Wolf, le Bô, la Trine (le surnom que tu m'as attribué et te gardes de me révéler car tu me sais susceptible). Tes inventions sont pour elle de la poésie pure. Loin de s'offusquer du surnom peu flatteur dont tu l'as dotée, elle en entend la tendresse : le *Racoon*, le raton laveur, et en français « la Ratonne », parce qu'elle te quitte dès le réveil pour aller prendre sa douche chez elle sous prétexte qu'elle n'a pas envie de partager la salle de bains avec ton coloca- taire, gâchant ainsi un temps dont vous pourriez disposer autrement. Toi, elle t'appelle « le Yéti », de ce surnom que t'a trouvé Nicolas autrefois. « C'est le Yéti », me dit- elle un soir où vous dînez chez nous et où je surgis de la cuisine, le couteau à découper dans la main, après avoir entendu mon bébé exploser en sanglots : « Le Yéti a voulu embrasser Camille et il lui a fait peur ! » Tu te tiens à l'écart, penaud, trouvant ma fille bien peureuse par rapport à ta nièce qui a six mois de plus, et ne com- prenant pas comment tes éclats de voix, ton rire, ton grand corps penché sur elle pour lui faire des bisous ont pu l'effrayer.

Vos camarades, surpris d'entendre les commentaires que tu fais devant Ana sur les seins ou le cul de telle ou telle fille, te trouvent peu délicat. Mais, loin de la déranger, ton regard sur les autres femmes l'amuse. C'est même ainsi que s'est établie la complicité entre vous. Au cours du poète français assistait une étudiante portant un débardeur moulant sous lequel apparaissaient ses seins volumineux que ne cachait aucun soutien-gorge. Le jour où tu t'es approché et lui as dit : « Ils ont l'air sympa tes copains : je peux leur serrer la main ? », la fille t'a dévisagé sans comprendre tandis qu'Ana éclatait de rire. Elle est ton meilleur public. Cette ratonne pourrait bien être la bonne : tu n'as jamais été aussi bien aimé.

Et tu n'as jamais aussi bien aimé. Sa présence au monde est légère et précise comme celle d'un insecte. Elle butine de mot en mot. Elle goûte la vie en poète et en remarque les détails insolites, comme l'arc-en-ciel que dessine le soleil sur ta nuque humectée de sueur. Elle apprécie comme toi les perles (ou les crapauds, c'est selon) qui tombent de la bouche du futur président des États-Unis quand il affirme que les journalistes le « sous-mésestiment », que l'Amérique est le « pacemaker » du monde ou répond, quand l'animateur d'un débat télévisé lui demande quel est son philosophe préféré : le Christ. Le Christ ! Vous éclatez de rire. C'est du Monty Python. Elisa aussi avait le sens de l'humour, et Ana lui ressemble par le type physique, la gentillesse, la distraction, les intérêts et les goûts. Mais alors qu'Elisa et toi ne cessiez de vous cogner l'un contre l'autre, avec Ana tout est facile et simple. Elle n'a pas les dons culinaires d'Elisa, ne pratique aucun sport, se soucie peu de ses vêtements, et cette indifférence à la vie physique et matérielle a un complément merveilleux : rien ne la vexe. Avec elle, tu n'as jamais l'impression de marcher sur des œufs. Elle a une repartie vive, ne cache pas ses sentiments. Et elle est européenne, même si elle vient de l'est : vous êtes pétris du même passé et des mêmes idées.

Ce nouveau millénaire dont on nous bassine les oreilles depuis des années comme s'il était impératif de le célébrer par la fête du siècle, tu y es entré discrètement, en Normandie, entouré des proches qui ont assisté à l'enterrement de ta mère. En mars tu quittes Ana deux semaines pour rejoindre au Japon Sébastien parti autour du monde après un chagrin d'amour. Le pays t'éblouit. Ce voyage est un enchantement, et tu ne cesses de faire rire Sébastien par ton enthousiasme et le contraste grotesque entre ton grand corps et les minuscules écolières qui t'offrent des sucreries, poussent de petits cris stridents et veulent toutes se faire prendre en photo avec toi. Le moins qu'on puisse dire, c'est qu'elles t'émeuvent. Après avoir fait l'expérience des *washlets*, où la lunette chauffée qui répand dans les reins une exquise chaleur, les jets d'eau coquins et la caresse intangible du séchage performant t'ont mis au bord de la jouissance, tu profères doctement, Barthes à l'appui : « La civilisation japonaise est celle du feu au cul. »

Peu importe la pression du marché du travail, la nécessité de terminer la thèse et de trouver un poste. Simples formalités par lesquelles il faudra passer. La vie est ailleurs : dans cette amitié de garçons joyeuse et affectueuse ; dans ces instants de vie intérieure volés au temps que Joyce appelle des épiphanies. Tu t'installeras le moins possible. Tu aimes par-dessus tout la condition de touriste et d'ami. Tu seras le braconnier du temps, le voyageur de Baudelaire au cœur léger semblable à un ballon, celui dont le désir a la forme des nuées.

Après le mariage de Nicolas qui rassemble à New York tous vos amis du vieux et du nouveau monde, tu pars en France pour l'été. À Dijon où tu assistes à l'enregistrement intégral des pièces pour clavecin de Rameau par le label de ton amie Sophie, tu passes avec ta ratonne, dans une petite communauté de musiciens, trois semaines aussi intenses que le voyage au Japon, peut-être même plus intenses, puisque le seul vrai voyage, comme le dit Proust, ne consiste pas à aller vers de nouveaux paysages mais à voir l'univers avec les yeux et les oreilles d'un autre, et que c'est par l'art que « nous volons vraiment d'étoiles en étoiles ». Tu constates à Dijon ce que tu n'aurais jamais cru possible il y a un an devant la tombe de ta mère : tu es heureux. Proust n'écrit-il pas dans son Carnet de 1908 que « le bonheur n'est qu'une certaine sonorité des cordes qui vibrent à la moindre chose et qu'un rayon fait chanter » ?

C'est à l'automne que les choses se dégradent. Tu t'apprêtes à sortir pour aller au cinéma, à un concert, au restaurant éthiopien avec Tony et Sam. Ana t'annonce qu'elle ne vient pas. Ce n'est pas, comme Elisa, qu'elle n'est pas prête. Elle est simplement fatiguée et les six cents dollars qu'elle touche chaque mois ne lui permettent pas de sortir tous les soirs. L'argument financier te paraît valable. Elle est trop féministe pour se laisser inviter par toi. Tu parles au directeur du département, qui parle à la directrice du programme de langue. Grâce au départ d'un autre doctorant, un cours s'est libéré : si Ana en fait la demande tout de suite, elle pourra l'obtenir et doubler son revenu. Quand tu le lui annonces, certain de lui rendre service et content de ton efficacité, tu vois son visage se fermer.

« Tu as parlé au chef du département pour moi sans même me consulter ?

— Tu as besoin d'argent, non ?

— Je ne veux pas enseigner davantage, Thomas. Ça prend trop de temps. Je veux écrire. »

Tu lui fais tes excuses et promets d'aller parler à nouveau au directeur. Cette erreur vite réparée ouvre la première fissure entre vous. Tu soupçonnes ses motifs. Ana n'apprécie guère cette intrusion dans sa vie privée.

Entre toutes tes activités, tu ne trouves pas le temps de rédiger ta thèse. Tu dois t'y mettre. Tu as achevé un chapitre sur quatre. La réaction de ton directeur de recherche quand tu le lui as remis ne t'a pas aidé. Il a remarqué seulement ce qui n'allait pas : l'homme est un stakhanoviste qui abat le travail à la hache avant de le ciseler comme un sculpteur de génie. Ses commentaires réticents ont projeté le reflet de ce que tu hais le plus : la médiocrité. « Il faut travailler davantage, Thomas : passer plus de temps en bibliothèque. » Ces mots n'ont réussi qu'à t'en éloigner. Tu commences à comprendre le blocage d'Elisa. La seule façon de contrer l'humeur maussade qui s'empare de toi dès que tu penses à ces phrases médiocres qui restent tellement en deçà de la prose avec laquelle tu souhaiterais éblouir ton directeur de thèse, c'est de sortir – d'aller par exemple au musée de Brooklyn voir cette œuvre de Renée Cox qui a tant choqué Giuliani qu'il veut supprimer l'aide de la ville au musée et créer un comité de décence.

« Tu fuis, te dit Ana du haut de ses vingt-quatre ans. Écris. Tu verras après si c'est bon ou pas. Tu corrigeras. Écrire, c'est réécrire. »

Mais Proust lui-même n'a-t-il pas consacré des volumes à la recherche du temps qu'il avait perdu en dîners mondains ? N'a-t-il pas fini par le retrouver ? Ne faut-il pas commencer par vivre ? De toute façon, tu n'as pas plus le choix que Proust. Tu es, comme lui, l'esclave de tes mauvaises habitudes. Tu as ri en lisant le passage où le narrateur de la *Recherche* décrit avec son exquise ironie comment toute velléité de se coucher tôt, de boire de l'eau, de se mettre au travail a abouti à un résultat contraire quand les habitudes contrariées se sont irritées, ont eu recours aux grands moyens et l'ont rendu malade, le forçant à doubler la dose d'alcool et ne pas se mettre au lit pendant deux jours, l'empêchant même de lire. Vaincu, il a dû se promettre d'être plus raisonnable, c'est-à-dire moins sage.

Pour Ana, c'est une simple question de volonté. Tu sens qu'elle te juge, avec le radicalisme de la jeunesse. Elle est ambitieuse et, tu l'as remarqué, respectueuse de l'autorité. Tu te rappelles sa réaction quand Sam lui a raconté une de tes facéties qui remonte à quelques années, alors que Sam, Tony et toi suiviez le cours d'un professeur du nom de Pierre Force dont elle est maintenant l'élève. Tu avais persuadé trois de tes camarades aux longs cheveux, « les Thomasettes », de se dandiner et de chanter *Rock*, tandis que tu continuais d'une voix grave, en te déhanchant comme Johnny Hallyday et en grattant les cordes d'une imaginaire guitare électrique : « *Power !* » Tu portais des lunettes de soleil, bien sûr. Le professeur avait souri, bonhomme, en entrant dans la salle, mais apprécié moyennement ta blague de potache et ce jeu sur son nom. Ana a ouvert de grands yeux. « Thomas, tu as fait ça, vraiment ? » Il y avait de la réprobation dans son rire : tu choquais son sens de la hiérarchie. Elle n'a pas ton irrévérence. Vous êtes ensemble depuis un peu plus d'un an et tu te demandes parfois si tu finirais par t'ennuyer avec elle. Sous la poétesse, tu perçois la bonne élève.

Tu sors de plus en plus souvent sans Ana, et tu la sens qui se détache et glisse vers la séparation comme sur une pente savonneuse. Elle en parle avec une franchise pragmatique : elle ne pense pas que vous soyez faits pour vivre ensemble car votre rythme est trop différent. Comme si l'on se quittait parce que l'un se couche plus tôt que l'autre ! Sa mauvaise foi te scandalise. Sexuellement elle a de nouvelles réticences. Elle ne t'aime plus : c'est l'évidence. Tu cherches à le lui faire admettre.

« Mais non, Thomas. C'est juste qu'on n'a pas le même rythme. »

Quand elle apprend, en avril, qu'elle a obtenu la bourse qui lui permettra de passer l'année suivante à Paris comme étudiante étrangère à l'École normale supérieure, tu t'en réjouis pour elle, mais tu sais aussi que c'est le début de la fin. C'est la répétition exacte de ton histoire avec Elisa.

Quand elle part pour la France fin août, vous ne parlez pas de retrouvailles futures. Tu n'as pas le temps de t'abandonner à la mélancolie. Tes professeurs t'ont sommé d'achever ta thèse. Tu as dû te battre pour obtenir l'inscription en huitième année. Tu es en sursis. À la fin de l'année scolaire, Columbia te larguera. Comme Sam qui a interrompu ses études et travaille en tant que correcteur pour une maison d'édition, tu pourrais survivre en donnant des cours de français et en rédigeant des articles culturels pour des journaux français. Mais tu perdrais ton assurance médicale et tu n'aurais pas les moyens de t'en payer une car les tarifs sont prohibitifs : c'est dangereux, sachant qu'une nuit d'hôpital à New York coûte plusieurs milliers de dollars. Tu perdrais aussi ton accès à la bibliothèque, au campus, à la photocopieuse, au papier à en-tête, à tous les privilèges que te donne ta carte d'étudiant de Columbia. Tu n'as pas le choix : il faut finir la thèse et trouver un poste. Qu'as-tu fait depuis deux ans sinon l'amour avec Ana ?

Après son départ, tu t'enfermes à la bibliothèque où tu as installé au huitième étage, entre les rayonnages, un bureau chargé de tous les livres dont tu auras besoin cette année. Quand tu émerges de ta grotte un après-midi vers six heures et retrouves le ciel bleu azur où décline le soleil de la fin d'été, tu sens dans l'air que quelque chose a changé ; tu es le seul à ne pas savoir quoi. Ta sœur, ton père, tes amis de Paris ont laissé des messages sur ton répondeur pour s'assurer que tu n'as pas eu l'idée d'aller te promener dans le bas de la ville ce matin-là. Ils sont inquiets, ils souhaitent de tes nouvelles le plus vite possible. Tu ne peux les rassurer car le téléphone, fixe ou cellulaire, ne marche plus, saturé par les appels ou pour une autre raison, et c'est à ce signe que tu te rends compte de l'ampleur de la catastrophe. Les jours suivants, quand les lignes sont rétablies, ils t'appellent et te demandent si tu ne te sens pas menacé, si tu n'as pas peur de vivre à Manhattan qui est une île qu'un nouvel acte terroriste pourrait couper du monde. Tu as le sentiment qu'ils parlent d'une autre planète. Oui, tu sais que ça a eu lieu et que cet événement a changé le monde à jamais, mais à New York la vie a repris, normale, quelques jours après. Tu n'as même pas vu la chute des tours que des millions de gens dans le monde entier ont pu suivre en direct. L'après-midi où tu as appris la nouvelle, incrédule, croyant d'abord à une blague, puis horrifié, tu as aussitôt pensé à mon mari dont l'employeur était locataire d'une des tours. Tu n'as eu de cesse de t'assurer qu'il était vivant. Tu ne connais personne qui ait été touché personnellement ou même indirectement par la tragédie, personne qui connaisse un des deux mille huit cents dont les visages apparaissent sur les posters « missing » affichés au bas de la ville. Au sud de la 14ᵉ Rue, Manhattan est interdit à la circulation, gardé par les militaires. Dans ton quartier rien n'a changé, sinon que les gens, comme partout dans New York, se regardent et se sourient davantage. La seule différence, c'est que, quand tu viens dîner chez nous, tu ne vois plus la perspective des deux tours en descendant vers Washington Square.

Il fait un temps magnifique en cet automne 2001, mais tu n'as guère le loisir de te promener. La recherche d'un poste est un long processus. En octobre tu passes des heures à écrémer les longues listes d'offres à travers les États-Unis. En dehors de Princeton, aucune université connue ne recrute dans ton domaine cette année. Tu sélectionnes seize annonces – si possible dans des villes avec des aéroports, car tu comptes venir à New York le plus souvent possible. Il faut adapter chaque lettre de candidature à l'énoncé – te présenter suivant le cas comme un spécialiste non seulement de Proust mais aussi de romans francophones, de cinéma, de civilisation, de *gay and lesbian studies*, ou même de littérature espagnole.

Tu as presque trop de cordes à ton arc et peux donner l'impression de t'éparpiller. Le directeur de ton département te conseille de réduire ton CV. Avec tes diplômes variés français et américains, ton expérience des deux côtés de l'Atlantique, ton savoir aussi étendu en musique et en cinéma qu'en littérature, et ton sujet de thèse à la fois vaste et pointu, ton profil va briller comme une étoile dans le ciel des candidatures. Ton seul désavantage, si l'on peut dire, c'est d'être blanc, homme et hétérosexuel dans un contexte politique où l'on s'est enfin aperçu du faible pourcentage de postes pourvus par des minorités, à l'université comme ailleurs : tu ne permets pas d'améliorer les statistiques.

Ton premier article universitaire, sur *Le Temps retrouvé* de Raoul Ruiz, vient de paraître à point nommé, et tu joins à chaque dossier un tiré à part dont l'élégante couverture blanche reproduit celle de la revue, avec ton nom d'auteur imprimé noir sur blanc. Les lettres de recommandation jouant un rôle essentiel, tu en as savamment diversifié les auteurs : homme, femme, Blanc, Noir, Français, Américain. Tu es attentif à poster tes dossiers avant la date limite, en général le milieu ou la fin du mois de novembre. Ensuite il ne reste qu'à attendre les coups de fil qui te fixeront un entretien au grand congrès de la MLA, la Modern Language Association, qui a lieu à Chicago cette année.

Fin novembre, tu revois Ana à Paris. Tu loges chez Sébastien puisqu'elle habite une chambre avec un lit simple et ne t'a pas invité à l'y rejoindre. Au cours de l'automne elle t'a rarement écrit : elle ne t'a pas soutenu pendant la longue épreuve des candidatures. Dès que tu entres au Rostand et l'aperçois au fond du café, penchée sur des polycopiés, le front caché par sa frange, les yeux par ses lunettes, tu es ému de retrouver ta ratonne et son petit museau. Elle lève la tête vers toi, te sourit, et tu sens aussitôt que cette émotion n'est pas réciproque comme celle qui t'avait saisi sept ans plus tôt quand tu étais entré au Café Beaubourg et avais su au premier regard que la passion était vivante entre Elisa et toi. Ana t'embrasse sur les joues, affectueuse, aimable, indifférente. Elle te décrit les séminaires qu'elle suit à l'ENS et au Collège international de philosophie, tu lui racontes la préparation du *job market*. Elle n'a aucun doute que tu décrocheras un excellent poste. Pour éviter l'humiliation d'un rejet explicite, tu conviens avec elle que votre histoire est finie. Vous vous rendez votre liberté. Tu sors du café abattu et amer.

L'attente des réponses est cruelle. On est le 15 décembre et tu n'as aucune nouvelle des seize universités où tu es candidat. Je te rassure. La fin du semestre est toujours un moment de grande activité : il est difficile de trouver une date où les membres du comité d'embauche soient libres pour se réunir et discuter de leurs choix. Il ne faut pas sombrer dans la paranoïa. Soit, mais que ne donnerais-tu pas pour un appel, un seul, comme Tony ! Il postule pour des emplois de dix-septiémiste : les candidats sont moins nombreux. Tu te rappelles le cas d'Elisa, qui n'avait eu aucune réponse jusqu'à la dernière minute et craignait d'avoir payé pour rien l'avion, l'hôtel et le tailleur élégant qui avaient grevé son budget. Le dossier d'Elisa était beaucoup moins riche que le tien. Sa thèse achevée comptait à peine une centaine de pages.

Elle était terrifiée et terriblement crispée pendant les entretiens. Malgré tout elle a eu un poste dans une excellente fac. Il suffit d'un appel. D'un entretien. D'une offre.

Les jours passent, le 16, le 18, le 20, le 21 décembre... Tu fumes du matin au soir et du soir au matin. Tu ne sors plus, de crainte de rater un appel. Tony vient d'en recevoir un second. Il n'ose plus te téléphoner, sachant que la sonnerie met tes nerfs à vif. Est-ce parce qu'il y a tant de candidats en littérature française du vingtième siècle ? Mais aucun ne peut avoir un dossier comme le tien. Les seuls points en ta défaveur sont l'inachèvement de ta thèse à laquelle il manque encore un bon tiers – ton directeur n'a pas menti sur ce point dans sa lettre car sa crédibilité était en jeu – et les réticences que doit contenir la lettre de la directrice du programme de langue, qui te trouve arrogant. Tony, lui, a presque fini sa thèse sur Racine et le jansénisme, et cette femme l'adore.

Le 22 décembre à quinze heures, tu reçois enfin un coup de fil d'une petite université dans le Colorado : l'humiliation d'un échec total t'est épargnée. Tu n'iras pas pour rien à Chicago. Tu envisages ta vie là-bas. Boulder est entouré de montagnes, comme Grenoble : il sera facile de skier. Le téléphone interrompt ta rêverie. Tu fermes les yeux quand la secrétaire prononce le nom de Princeton. Tu n'y croyais plus. Ils ont dû recevoir des centaines de candidatures, mais comment pouvais-tu ne pas les intéresser ? Tu en étais venu à te demander si la chemise cartonnée n'avait pas glissé derrière un bureau. Avec le rendez-vous pris pour un entretien le 27 décembre, le monde retrouve sa cohérence. J'avais raison : ce délai qui t'a torturé n'est dû qu'à un simple manque d'organisation. Tu reçois un troisième coup de fil d'une fac en Floride. Trois entretiens : l'honneur est sauf. Deux sont pour des petites universités dans des coins où tu n'as aucune envie d'aller vivre. Princeton est la seule à la hauteur de ton ambition.

Tu ne laisses rien au hasard. Tu te renseignes sur le directeur du département de français. Il est l'auteur de nombreux livres dont tu empruntes plusieurs à la bibliothèque. L'homme a émigré de Roumanie une vingtaine d'années plus tôt. Un Roumain ! Tu es en terrain familier. Tu relis des poèmes d'Eminescu dans un volume qu'Ana avait dédicacé « au Yéti ». Tu choisis avec soin tes vêtements. Un costume, l'unique que tu possèdes. Une chemise blanche qui sort du pressing. Une cravate – un cadeau d'Elisa.

Le lendemain de Noël, tu t'envoles pour Chicago. Le lac recouvert d'une fine couche de glace est d'un vert-bleu clair magnifique et tu n'as pas revu la ville depuis ton grand périple avec Nicolas douze ans plus tôt, mais un vent glacé s'engouffre dans le col de ton manteau, tu as un rhume, et tu n'es pas d'humeur à faire du tourisme. Tu ne cesses de te répéter les recommandations que mon mari et moi t'avons faites lorsque nous t'avons entraîné à passer des entretiens d'embauche quelques semaines plus tôt après un dîner chez nous : ne jamais interrompre l'autre ; retenir la parole qui fuse de toi, irrépressible ; canaliser ton envie d'intervenir quand tu as deviné la pensée de celui qui t'interroge ; te montrer respectueux et humble. Et médiocre. « Oui, Thomas, médiocre : ce n'est pas une star que recherchent ces professeurs d'université, mais un gentil collègue qui ne leur fera pas d'ombre. » Toi et moi avons encore un rapport fragile et tu aurais mal supporté d'être corrigé par moi comme par une maîtresse d'école, mais tu as confiance en mon mari, en son calme et en son expertise professionnelle. Nous t'avons dit : sois toi-même le moins possible. Ne donne ton avis sur rien. Efface les aspérités, arrondis les angles. Ne sois qu'un modeste étudiant de doctorat en littérature. Il faut s'avancer masqué pour ne heurter aucune sensibilité, se fondre dans le décor comme un caméléon. Et surtout, retenir ton corps, laisser de l'espace entre toi et l'autre, ne pas te pencher sur lui comme la tour de Pise, ne pas le recouvrir de ta présence étouffante.

Le jour de l'entretien tant attendu, tant convoité, tu es extrêmement fatigué. Tu n'as pas fermé l'œil depuis plusieurs nuits à cause du rhume et de l'angoisse. Le Palmer où te reçoivent les professeurs de Princeton est un des plus beaux hôtels de Chicago, nettement plus luxueux que le Hilton où tu as réservé une chambre. Alors que tu frappes à la porte de la suite au huitième étage, tu entends des rires. Se moque-t-on du candidat qui t'a précédé ? Les deux hommes et trois femmes qui te sourient à ton entrée ont beau reprendre leur sérieux, tu les sens encore hilares. À l'instant où tu serres la main du Roumain, une chape te tombe dessus. Tu reconnais le sentiment de paralysie. La sueur humecte tes tempes. Tu fais ce que tu peux. Tu n'es pas brillant. Malgré toi tu leur coupes la parole à plusieurs reprises. Tu oublies de citer Eminescu.

Le coup de fil arrive début janvier. En dépit de ta

nervosité, ton profil et l'étendue de ton savoir les ont impressionnés. Tu es un des deux finalistes sélectionnés pour un entretien sur le campus mi-janvier.

Toute ton énergie est revenue. Tu dors mal, mais c'est normal. L'attente est si forte. Tu es tendu comme un arc vers ce point qui est le but des huit dernières années, le poste que tu rêves d'obtenir, dans une université de l'Ivy League. Tu vas y arriver. Il s'agit maintenant d'évincer l'autre candidat invité juste avant toi. Tu n'as aucun doute : tu es le meilleur. Tu sens une force immense, tu vas l'écraser en deux temps trois mouvements. Tu t'impatientes quand je t'adresse au téléphone mes ultimes recommandations : être aussi attentif aux hommes qu'aux femmes, aux vieux qu'aux jeunes, et surtout ne pas flirter, ne pas faire de blagues, garder une distance professionnelle.

« Je sais séduire quand je veux, Catherine. Fais-moi confiance. »

Tu as préparé une conférence sur Proust à partir de ta thèse. Tony t'a conseillé d'imprimer les citations sur lesquelles tu t'appuieras et de photocopier la feuille en vingt ou trente exemplaires. Cette fois, tu es vraiment en forme. Les hommes, les femmes, les vieux, les jeunes, tu les séduis tous. Tu es drôle, brillant, mais aussi poli, respectueux. Tu interroges les uns et les autres sur leur travail, tu flattes leur ego. Ta conférence est appréciée et la distribution de la feuille avec les citations produit le meilleur effet. Ton cours de français avancé se passe si bien qu'il dissipe l'impact négatif qu'a pu avoir la lettre de la directrice du programme de langue. Les étudiants sont suspendus à tes lèvres, tu les fais rire, ils attendent avec impatience de te voir commencer là-bas à l'automne, ils veulent tous s'inscrire à ton cours. Lors du dîner rassemblant tes futurs collègues dans un restaurant de Princeton, une jeune femme qui travaille sur le néoréalisme italien est assise à côté de toi. Vous avez les mêmes goûts en matière de cinéma. Elle te prévient que l'autre candidat a fini sa thèse, publié trois articles et enseigné deux ans à l'université comme lecteur, mais elle pense que tu t'en es si bien sorti que tu as réussi à convaincre même les membres du département qui n'étaient pas en ta faveur au départ. Cette thèse inachevée est l'unique maillon faible : tu as garanti qu'elle serait finie au printemps. Ta jeune voisine te regarde avec un intérêt flatteur, visiblement charmée. Tu ne lui poses aucune question sur sa vie privée même si tu l'imagines célibataire et la trouves tout à fait baisable. Tu restes professionnel. Juste avant de te lever de table, tu as l'idée de lui proposer une collaboration pour l'année suivante, un cours sur le cinéma enseigné à deux.

Au retour de Princeton, tu m'appelles.

« C'est dans la poche. Ils m'ont adoré. »

Même moi qui ai une peur presque superstitieuse de l'excès de confiance en soi, je dois admettre que ça me semble bien parti : si les professeurs de Princeton sont cosmopolites et sophistiqués, ce qu'ils sont sûrement, il serait logique qu'ils choisissent pour collègue quelqu'un comme toi, un Européen dont les intérêts – en littérature, philosophie, musique et cinéma – débordent son champ de recherches, un vrai humaniste comme au temps de la Renaissance. L'appel devrait venir sans tarder – après la délibération du comité. Tu imagines ta vie future. Princeton n'est qu'à une heure de train de New York, mais tu t'y installeras les premières années, car on t'a signalé qu'il était très mal vu d'emménager à Manhattan et de ne passer que deux jours par semaine sur le campus : cet avertissement qui prouve qu'on t'a parlé comme à un futur collègue est bon signe. Pour empêcher les jeunes professeurs de migrer à New York, on leur donne un cours de langue à enseigner tous les matins à huit heures. Tu n'as rien contre. Il faut habiter sur place pour faire partie de la communauté. La fac est magnifique, la ville petite mais charmante. Tu te mettras au vert quelques années, ce qui te permettra de transformer ta thèse en livre, une nécessité pour garder le poste après quatre ou cinq ans. Tu passeras les week-ends à New York. Tu pourras même garder ton appartement puisque, grâce à ton colocataire, il ne te coûte toujours que deux cents dollars par mois : ce sera ta résidence secondaire. Le doyen des humanités t'a indiqué le montant du salaire : quatre fois supérieur à la rétribution que tu reçois de Columbia, il te paraît énorme, même s'il est dans la norme. Le chef du département t'a parlé des fonds accordés aux jeunes professeurs pour assister à des colloques et voyager en Europe pendant l'été. La quatrième année tu obtiendras un congé sabbatique afin de préparer l'écriture de ton second livre. Une politique généreuse. Tu es enthousiaste.

Professeur à Princeton. Voilà qui aurait rendu fière ta mère : ta revanche sur ton échec à l'École normale supérieure. Tu te vois déjà, à New York, à Paris, avec cette étiquette qui changera ta vie. C'est très différent d'« étudiant à Columbia ». Les portes s'ouvriront, on te regardera avec un nouveau respect, les professeurs que tu admires deviendront tes collègues. Tu vas avoir les moyens de réaliser tes idées, et tu n'en manques pas – à commencer par ton disque sur Proust pour lequel ton amie Sophie n'a pu trouver de fonds ! C'est le début de ta vraie vie d'adulte. Tu entres dans la cour des grands – celle de ton directeur de thèse et surtout de Benoît, ton modèle, l'ancien directeur de thèse d'Elisa qui enseigne maintenant à New York University, et dont tu admires la truculence subtile et l'indépendance de pensée. Ana et toi avez suivi son séminaire à NYU l'an dernier, et il est devenu ton ami. Il est comme toi, un jouisseur qui aime le vin et la littérature, la chair, la chère et les concepts. Vous faites partie de la même ligue, celle des esprits libres. Il te considère comme un égal, un de ceux qui prendront la suite. Voilà quelqu'un qui s'est bien débrouillé : NYU après Berkeley et Yale, c'est une carrière de rêve. Après quelques années à Princeton, Columbia, ton alma mater, ne t'ouvrira-t-elle pas grand les bras ? Tu te vois comme Benoît, plus tard, marié avec une artiste, habitant un loft dans Tribeca.

Une semaine passe, puis une deuxième. Tu ne dors plus. Cela fait presque un mois que tu ne dors pas. Rien ne te distrait de ta pensée unique, pas même le ridicule et inquiétant discours de Bush sur l'axe du mal le 29 janvier. La difficulté, tu t'en doutes, c'est de trouver un moment où tous les membres du comité d'embauche sont disponibles pour délibérer en ce début de semestre. Tu as vécu la même attente angoissante avant Noël. Tu tentes de mettre ta paranoïa de côté, mais de jour en jour cela devient de plus en plus difficile. Tu as besoin de savoir. Sur place tu as collecté quelques adresses mail. À la fin de la seconde semaine, tu écris à ta voisine du dernier repas pour lui demander quand la décision sera prise. Sa réponse est étrangement évasive et ne contient pas un mot amical. Tony te dissuade d'écrire au directeur du département. Le geste pourrait être contre-productif à un moment particulièrement délicat où l'on hésite entre deux candidats. Il faut patienter, même si l'attente est une torture et que tu passes tes nuits à te demander quels mots tu as prononcés qui ont pu agacer tel ou tel professeur.

Le directeur roumain du département pour qui tu as senti une attirance immédiate finit par te téléphoner. Quand tu décroches, tu sais, à son intonation. Le comité s'est réuni la veille. Tu as perdu à une voix près. La discussion a été intense, le vote serré : il est désolé pour toi. Tu étais son candidat préféré. Tu as vraiment beaucoup plu. C'est juste qu'à la dernière minute l'autre l'a emporté. À un vote près qui n'a pas tourné en ta faveur. Il te souhaite bonne chance.

Tu appelles un autre professeur assistant avec qui tu avais sympathisé, et tu apprends que la jeune femme assise à côté de toi pendant le dernier dîner a été la plus acharnée contre toi. Tu es interloqué. Quand elle t'a dit qu'elle voterait pour toi, tu es sûr qu'elle ne mentait pas. Que s'est-il passé ? Puisque tu n'as plus rien à perdre, tu lui écris.

Elle te répond. Elle est désolée mais tu ne lui as pas laissé le choix. Quand tu lui as proposé de faire un cours avec elle sur le sujet de son prochain livre, elle s'est rendu compte que tu marchais sur ses plates-bandes. Elle a pris peur.

Cette réponse a le mérite de l'honnêteté. Elle te dégoûte.

Tu repenses à ce moment de jubilation où l'idée d'une collaboration t'est venue. N'a-t-elle pas eu l'air enthousiaste ? Les universités américaines ne favorisent-elles pas ce genre de collaboration interdisciplinaire entre les professeurs ?

Tu n'as pas pensé à la politique, à l'avenir. Son message contient un sous-texte que tu déchiffres maintenant. Elle enseigne à Princeton depuis un an. Un jour vous seriez devenus concurrents : d'elle et toi, un seul aurait obtenu la titularisation. Mieux valait t'éliminer tout de suite. L'autre candidat, moins charmant, moins brillant, ne travaillait pas sur le cinéma.

Si seulement tu pouvais retourner en arrière, dans ce dîner de Princeton, et effacer cette phrase unique qui t'est venue en un instant de joie.

Tu te retrouves sans poste. Tu es profondément déprimé. Tu étais le candidat gagnant et tu as commis une minuscule erreur qui a enrayé la machine du succès. Tony qui a obtenu un poste à Purdue, dans l'Indiana, essaie de te remonter le moral. Ce n'est pas la fin. Un certain nombre de postes ouvriront au printemps : professeurs partant en congé maternité, en congé maladie, en congé sabbatique. Ces postes-là sont pour un an, parfois renouvelables une autre année, mais il est normal de commencer ainsi sa carrière. La thèse achevée, tu seras un candidat encore plus solide. Et maintenant que tu as compris comment fonctionnait la politique d'un département, on ne te reprendra pas à commettre la même erreur.

Tu te remets au travail. Tu sais qu'il est crucial d'achever cette thèse. Tu vas voir le directeur de ton département et le supplies de t'accorder une année de plus. Impossible. Il n'y a pas suffisamment de cours de langue pour t'en attribuer un. Il peut te proposer un statut de *visiting scholar* qui te laissera l'accès à la bibliothèque et te permettra d'utiliser l'an prochain du papier à en-tête de l'université. Il te rappelle de persister dans ta quête : l'année n'est pas finie.

Tu consultes internet tous les jours. Dès qu'il y a une offre plus ou moins proche de ton domaine, tu envoies une candidature.

Fin mai tu finis par obtenir un poste d'un an, renouvelable une autre année, à Reed College, dans l'Oregon, un État à l'ouest des États-Unis où tu n'as jamais mis les pieds. C'est là qu'Elisa a fait sa licence. Ils t'embauchent au vu de ton dossier sans même t'inviter sur le campus. C'est un emploi de lecteur, pas de professeur assistant. Le salaire sera moins élevé.

Tu as trente-trois ans, une place dans une bonne université, un salaire, le début d'une carrière. Tu es sauvé.

II

L'exalté du campus

Début août, après six magnifiques semaines en France, tu t'envoles pour Portland avec deux valises. La fac t'a octroyé pour le déménagement une somme de quatre mille dollars dont tu n'as pas à justifier et que tu trouves plus intelligent de mettre de côté. De New York, tu envoies par la poste à l'adresse du département tes multiples cartons de livres et de CD. Tu jettes tes quelques meubles et les parpaings d'Elisa.

À peine installé, tu sillonnes les rues sur un vélo racheté à un étudiant. Tu t'y sens bien. Tout de suite. C'est une ville verte, pleine de parcs, d'eau et de pistes cyclables. Deux rivières la traversent, la Willamette du nord au sud et la rivière Columbia plus au nord, dont le nom est comme un clin d'œil à tes récentes origines. Toi qui n'as jamais été obsédé par la nature, tu dois avouer qu'il est agréable de filer sous les arbres le long de la Willamette à travers le centre-ville avec, à l'horizon, la vue des monts Hood et Saint Helens. Tout ce vert est un baume à l'âme. L'automne pare bientôt les arbres de couleurs flamboyantes.

À ta surprise, New York ne te manque pas. La ville que tu as quittée n'est plus celle que tu as découverte quand tu as débarqué aux États-Unis il y a dix ans. On ne peut plus y boire une bière en plein air sans se faire accoster par un flic qui n'a pas le sens de l'humour et payer soixante dollars d'amende. Giuliani a nettoyé les rives de l'Hudson de leur liberté et de leurs *queers*, Times Square de la prostitution, East Village de la drogue et des vagabonds : c'est un New York où la police peut impunément transpercer de quarante et une balles un pauvre diable qui n'a commis d'autre crime que d'être noir et de ressembler, comme tous les Noirs, à un violeur en série recherché, un New York où s'exerce la censure dans les arts, un New York qui se redresse déjà après la chute des tours mais sans devenir plus humain, le New York de Bloomberg après Giuliani.

Tu as loué un appartement meublé à quarante-cinq minutes de vélo ou de bus du campus et à vingt minutes à pied du quartier animé dont t'a parlé Elisa avec qui tu as eu une conversation amicale au téléphone juste avant l'été, le Pearl District, où se trouve la plus grande librairie d'occasion du monde, Powell's City of Books. Quittant New York, tu ne te voyais pas emménager dans le quartier résidentiel près de l'université. La ville est jeune, dynamique, remplie de restaurants, de cinémas, de cafés, de galeries d'art, de *food trucks* où l'on peut savourer, pour presque rien, des nourritures exotiques. Une grande compagnie de composants d'ordinateur, des entreprises de vêtements de sport, trois universités publiques et quatre universités privées la font vivre. De ces sept institutions, Reed est la plus prestigieuse. Il est agréable, quand tu dis que tu es professeur à Reed, de voir une nuance de respect teinter le regard du banquier, de l'employé de la boutique de téléphonie, du libraire, ou de l'inconnue avec qui tu bavardes dans un café. Reed. Tu fais partie ici de l'élite. De fait, tu n'as aucun sentiment d'étrangeté. Tes étudiants de Reed sont aussi intelligents et sophistiqués que ceux de Columbia. Ils ont quelque chose de plus ouvert, un esprit propre à Reed, à Portland et à l'Oregon : une défense absolue de la liberté, quelle que soit la forme qu'elle prend. C'est une université de gauche, comme la ville, qui vote démocrate. Tu éclates de rire en apprenant que la nudité totale et les danses érotiques sur les genoux des clients dans les clubs de strip-tease sont ici protégées comme un droit à la liberté d'expression, et que Portland y a gagné le surnom de Pornland. Quant au tee-shirt de Reed, il annonce la couleur, avec son blason entouré des mots *Atheism, Communism* et *Free Love*. Tu l'achètes aussitôt, alors que tu n'aurais jamais arboré un tee-shirt de Columbia.

Tu adhères tout de suite à l'esprit de Reed et de la ville. Toi qui ne peux rencontrer quelqu'un sans le rebaptiser d'un surnom inspiré de son apparence physique, des sonorités de son nom ou de ton sentiment pour lui, tu découvres une ville affublée de surnoms : on l'appelle la ville des roses pour son magnifique jardin qui vaut celui de Queen Mary à Londres ; la ville des ponts pour la douzaine d'ouvrages qui enjambe les rivières Willamette et Columbia ; *Beervana*, le nirvana de la bière, pour le nombre de pubs et de fabriques de bière ; *Little Beirut* depuis les violentes protestations contre la guerre en Irak qui ont accueilli le passage de Bush ici au printemps dernier ; et *Rip City* à cause du cri d'enthousiasme de l'annonceur de l'équipe de basket-ball locale quand un ballon envoyé de très loin par erreur a miraculeusement traversé le filet lors d'un jeu contre les Los Angeles Lakers en 1971 : « *Rip City ! All right !* » On dirait un nom inventé par toi : tu aimes ses assonances et le *p* sur lequel on bute brutalement avant de redescendre sur le son plus doux de « city ». Entre Rip City et Pornland, ton cœur balance.

Tu as été accueilli par tes nouveaux collègues avec une chaleur à laquelle dix ans de vie new-yorkaise ne t'avaient pas accoutumé. À Columbia tu avais oublié que l'intelligence et la gentillesse étaient compatibles. Le directeur de ton département est un spécialiste du poststructuralisme révéré sur le campus comme un dieu. Grâce à des fonds qui devaient être utilisés avant la fin décembre et qui ne trouvaient pas d'usage, il t'autorise à faire venir de France ta pianiste proustienne. Le concert est un succès : tous te félicitent pour ton initiative. C'est la magie de l'Amérique, cette liberté que donne l'argent dans les universités privées. Certains de tes collègues sont plus réservés mais tu t'entends tout de suite avec Khaled, le dix-huitiémiste de service, un bel Afghan qui ressemble tant à Paul Auster qu'on peut se demander si ce dernier a deux vies, grand séducteur, grand parleur, grand lecteur, grand buveur, grand jouisseur. Il t'emmène dans des clubs de strip-tease à Portland et te propose de la cocaïne – une offre que tu déclines, car ça ne t'intéresse pas.

Tu donnes deux cours, un cours de français débutant

où tu combats l'ennui en enseignant aux étudiants tous les mots d'argot sexuel, bite, con, couille, cul, baise, qui, prononcés avec l'accent américain, ne manquent pas de piment, et un cours sur le cinéma que tu prends au sérieux, ton premier vrai cours, pour lequel tu as rassemblé une anthologie des meilleurs textes théoriques, de Bazin, Deleuze, Mitry, Bresson, Rancière, et où tu montres à tes élèves les classiques de la Nouvelle Vague, *Les Quatre Cents Coups, Pickpocket, L'Année dernière à Marienbad, À bout de souffle.* Au hasard d'une citation dans un article, tu as découvert Jean Mitry, un des fondateurs de la cinémathèque de Chaillot avec Henri Langlois et Georges Franju. C'est un des grands oubliés de la critique cinématographique alors qu'il est l'auteur de nombreux ouvrages sur le cinéma, un homme inconnu en France et pourtant passionnant, créatif, aux goûts éclectiques, qui a enseigné en France et au Canada et s'est même essayé à la réalisation, et sur qui tu envisages d'ores et déjà d'écrire ton second livre. Grâce à ces merveilles que sont les bibliothèques des universités privées, tu réussis à commander ou imprimer ses écrits.

Tu as une vingtaine d'étudiants, plus que les autres professeurs. Leur français est trébuchant, soit, mais trois de tes élèves ont passé l'année précédente à Rennes et il y a même une mignonne Bretonne venue dans un échange avec sa fac française que tu t'empresses de draguer. C'est la première fois que tu enseignes, non comme étudiant de doctorat, mais en tant que professeur : tu es ton propre maître, tu as ton auditoire que tu fascines en parlant de New York, des écrivains et des musiciens que tu as fréquentés là-bas, de Robbe-Grillet qui t'a indiqué les meilleurs clubs SM de Manhattan. Tu te sens autorisé par ton nouveau statut de professeur et par la liberté de Reed et de Pornland à parler sans tabou. Dans ton bureau, tu es aussi à l'aise que dans ta chambre. Il y a tous tes livres et, sur une étagère, une bouteille d'excellent bourbon dont tu n'hésites pas à proposer un *shot* aux élèves qui viennent discuter. Tu combats l'inévitable ennui universitaire en regardant des films pornos sur l'ordinateur dont t'a fait cadeau la fac. Alors que tu te masturbes devant *Caligula* mis à plein volume, tu n'entends pas frapper, tu ne vois pas s'ouvrir la porte que tu as oublié de verrouiller. C'est Eli, un de tes étudiants préférés, un grand garçon costaud qui rit à tes plaisanteries et dont les yeux bleus reflètent l'innocence des purs et des gentils. Il referme la porte aussitôt, tout rouge.

Un jour ensoleillé de la mi-septembre, tu bouquines, assis sur l'herbe fraîche devant la bibliothèque, ta chemise à côté de toi, ton torse nu exposé au soleil encore chaud de la fin de l'été, un cigarillo entre les lèvres, quand un étudiant s'approche et se présente : Thad. Il ne t'a pas encore rencontré mais n'a pas eu de mal à te reconnaître, car ta réputation s'est répandue sur le campus.

« Ma réputation ?

— *Very French : very cool, and mysterious.* »

Tu ris. Thad aussi a passé l'année précédente à Rennes, mais son français est moins bon que celui d'Eli. Le soir même vous allez boire un verre. Il te parle de son séjour en France et de sa petite amie française dont il est séparé. Vous discutez de tout, de littérature, de cinéma, de femmes, de cul. Tu ne sens pas la différence d'âge.

Quand tu découvres qu'il veut faire son mémoire de fin d'année sur Flaubert avec le directeur du département mais que, celui-ci étant absent au second semestre, il devra achever son travail sous la direction d'une autre de tes collègues, tu le convaincs de travailler avec toi – sans penser que tu retires un élève à la collègue en question. Tu es arrivé un mois plus tôt et te voilà déjà le mentor d'un étudiant de dernière année. Tu t'ancres. C'est une bonne chose si tu veux rester ici l'an prochain – et tu le veux.

Fin octobre tu assistes à une conférence d'une célèbre universitaire indienne venue de ton alma mater quand tu remarques dans l'assistance nombreuse une jeune femme aux courts cheveux noirs, à qui tu vas parler pendant le cocktail qui suit. Son sourire qui creuse deux fossettes dans ses joues plisse ses yeux jusqu'à les transformer en fentes mongoles, et ses boucles d'oreilles en perle rappellent l'éclat nacré de ses dents. Tu la trouves extrêmement jolie. Elle a un petit air de Jean Seberg – en brune. Elle s'appelle Olga. Elle est russe – ce que tu as deviné, car elle omet les déterminants et parle avec un accent qui mouille les consonnes. Elle enseigne le russe et la littérature comparée. Elle est arrivée ici en septembre, comme toi. Originaire de Saint-Pétersbourg où vivent ses parents, elle a fait son doctorat à Ann Arbor. Elle est toute petite, une miniature, même perchée sur de hauts talons. Elle porte des escarpins rouges à bout pointu dont tu lui fais compliment. Elle lève la tête vers toi, tu baisses la tienne vers elle, et vous parlez pendant presque une heure, absorbés l'un par l'autre.

Le samedi suivant tu l'invites à un concert de l'orchestre symphonique de Portland et dans un restaurant du centre-ville. Tu veux lui plaire, mais tu restes hésitant. La disproportion entre vos corps est trop grande. Vos esprits se touchent à défaut de vos chairs. Vous êtes tous deux nouveaux à Reed, vous venez du même côté de l'Atlantique, vous avez la même éducation, le même âge à un mois près, vous avez lu les mêmes livres, vu les mêmes films – elle adore Tarkovski et *La Jetée* de Chris Marker, comme toi –, vous aimez les mêmes musiciens classiques et vous avez la même passion pour l'opéra. Vous ne serez peut-être pas amants, mais amis, sans nul doute.

Elle te raccompagne en voiture chez toi à une heure du matin – surprise que tu ne conduises pas et ne lui proposes pas de monter pour un dernier verre.

La deuxième fois où vous dînez ensemble, l'attirance est si forte qu'il n'y a plus de doute. Vous savez comment la soirée s'achèvera. Tu t'en doutais, puisque tu as rangé ton appartement. Tu te dis qu'il faudra faire attention à ne pas l'écraser, l'étouffer, cette minuscule Olga. Elle est si fine et menue que tu crains qu'elle n'explose quand vous ferez l'amour. Tu l'imagines délicate comme une porcelaine, à manier avec des pincettes, hérissée d'interdits comme Ana vers la fin de votre relation. Tu découvres une boule de feu – un feu dévorant, insatiable : un volcan.

« Comme un animal ! t'exclames-tu le lendemain quand tu racontes à Thad, avec force détails, ta nuit d'amour. La sodomie dès la première fois, tu te rends compte ? »

Très vite vous vous voyez deux ou trois fois par semaine,

parfois même davantage. Vous dormez chez l'un ou chez l'autre, le week-end chez toi, en semaine chez Olga qui vit près du campus.

Son appartement est comme elle : un Janus à double face. Le salon qui sert de pièce de travail est fonctionnel, presque impersonnel, meublé juste d'un canapé, d'un grand bureau et de plusieurs *file cabinets* où sont rangés des multitudes de dossiers dans un ordre alphabétique rigoureux. Elle garde tout. Il y en a déjà un à ton nom, entre « Brzezinski » et « Calvino », où elle a rangé quelques billets doux de ta main, une carte postale de Paris et le tiré à part de ton article sur *Le Temps retrouvé* de Raoul Ruiz, que tu lui as dédicacé. Rien dans le salon ne laisse anticiper le cocon précieux et sensuel qu'est sa chambre, avec ses lampes à la lumière tamisée et les bibelots disposés sur la commode en acajou, cadres en argent ciselé contenant des photos d'elle et de sa babouchka, statuette en porcelaine de Dresde au tutu ajouré, petites boîtes noires laquées peintes de paysages miniatures au fascinant détail : enfants qui dévalent une pente en luge, ville où se distinguent les bulbes dorés des églises, prince russe dansant avec le feu. Les draps de satin gris perle et les nombreux oreillers appellent aux ébats, et le large miroir juste en face du lit ne laisse guère de doute sur son usage. Olga toute en contrastes, professeur et putain, angélique et sauvage, ordonnée et déchaînée, Aglaïa Ivanovna et Nastassia Philippovna réunies dans la même ravissante femme aux tailleurs stricts, aux chemisiers blancs, aux talons aiguilles et aux dessous français en dentelle.

Elle a d'étranges réticences qui viennent peut-être

de son éducation dans une Russie encore communiste, de l'autre côté du rideau de fer, une génération avant Ana. Sur le campus tu n'as le droit ni de l'enlacer, ni de l'embrasser, ni même de lui donner la main, comme si cela risquait de vous nuire professionnellement alors que vous êtes deux adultes responsables et célibataires. Dès que tu tentes d'en discuter avec elle, vous vous disputez. Elle a des convictions contre lesquelles il est inutile de lutter. Elle te dit, l'air blessé, que ton manque de respect l'attriste.

Cette femme qui s'est entièrement donnée à toi dès la première nuit et qui, au matin, t'a dit la voix pleine d'amour « *Ya polioubliou tebya !* », « Je vais t'aimer ! », refuse de te communiquer son numéro de portable. Tu as d'abord cru qu'elle te taquinait, puis tu t'es indigné. Ce numéro est devenu l'enjeu de votre amour – comme si tu devais franchir des étapes afin de le mériter. L'idée qu'elle te teste t'est insupportable. Une femme qui aime ne fait pas tant souffrir. Elle réplique que son refus de céder est au contraire la chance qu'elle donne à votre couple de durer. Elle a besoin de sentir que tu respectes entièrement sa volonté et son désir.

Dans des éclairs de lucidité tu admires sa sagesse. Tu sens que sa résistance est causée par ton impatience qui a déjà détruit deux amours, et tu comprends obscurément que c'est justement cette résistance qui t'attire en Olga – comme en Elisa et en Ana, sous des formes différentes. La femme que nous aimons est « une image, une projection renversées, un "négatif" de notre sensibilité », écrit Proust dans *À l'ombre des jeunes filles en fleurs*. Rien de plus juste. La souffrance que t'inflige Olga est l'image latente de ton amour. Si tu parviens à accepter ce qu'elle exige de toi, cet amour aura une force herculéenne. Mais tu reviens malgré toi buter contre ce petit fait qui ne s'emboîte dans aucune logique pouvant lui donner un sens favorable. Le téléphone portable, c'est le seul moyen de la joindre à tout moment et de savoir où elle est. Quelle autre raison qu'une double vie pourrait motiver son refus ? Avec qui est-elle en ce moment, alors que son répondeur à la maison se déclenche et qu'elle ne décroche pas, même en entendant ta voix ? Insatiable comme elle est, lui suffis-tu ? Swann se trompait-il quand son intuition lui disait qu'Odette était infidèle ?

Au moment où tu es prêt à renoncer à elle parce que tu souffres trop – ne l'as-tu pas vue sourire à Khaled l'autre jour comme s'ils étaient convenus d'un rendez-vous dans ton dos ? – elle t'appelle. Sa voix aux *r* qui roucoulent et aux consonnes mouillées se glisse en des interstices que tu n'as pas pensé à armer contre elle. Elle te dit qu'elle n'est pas sortie depuis quatre jours, qu'elle a débranché téléphone, qu'elle avait article sur kitsch à finir, qu'elle est épuisée, et quand tu vas chez elle, incapable de refuser son invitation, tu vois ses cernes, la vaisselle de trois jours entassée dans l'évier, les papiers en désordre et les livres accumulés sur son bureau près de l'ordinateur, comme autant de preuves qu'elle ne te ment pas. La preuve ultime, c'est son corps qui se glisse contre toi, qui t'attire dans son lit, et les heures que vous y passez. L'intensité du bonheur que tu goûtes avec elle est à la mesure de l'angoisse qui a tordu tes nuits.

Pour la première fois tu penses au mariage. Le soir où tu évoques cette éventualité, presque effrayé qu'Olga te rie au nez, ses yeux s'étirent de plaisir comme ceux d'une chatte. Mais il faut d'abord que tu viennes à Saint-Pétersbourg, que tu rencontres ses parents et qu'ils t'adoubent : cette femme de trente-trois ans partie aux États-Unis il y a huit ans, indépendante financièrement et débordante de sensualité, ne prend aucune décision sans consulter sa mamochka avec qui elle passe une demi-heure au téléphone chaque jour.

Les nuits où vous n'êtes pas ensemble, ce tout petit téléphone portable devient à deux, trois, quatre heures du matin un poulpe gigantesque dont les tentacules envahissent ton cerveau où ses ventouses allument des lumières au clignotement qui te rend fou. Tu voudrais tout débrancher, briser l'appareil, en arracher le numéro à Olga sous la torture. Le décalage horaire de neuf heures avec la France a cela de bon que tu peux appeler Sébastien ou Christophe. C'est l'heure du déjeuner : tu ne les déranges pas. Tu vas te marier, vraiment ? Épouser cette Russe que tu as rencontrée il y a trois mois ? Excellente nouvelle ! À quand la fête ? Sur quel continent ? Elle a besoin de l'avis de ses parents avant de te répondre, et tu dois aller faire ta demande à Saint-Pétersbourg cet été ? Leur étonnement sceptique s'accroît quand ils apprennent qu'elle refuse de te donner son numéro de portable.

« Toi aussi tu trouves que c'est bizarre, n'est-ce pas ?

— Ce n'est peut-être pas la femme de ta vie, Thomas.

— Mais non ! Tu ne comprends pas ! Je n'ai jamais aimé aucune femme autant qu'elle, et je suis sûr qu'elle m'aime !

— L'amour l'emportera sûrement, alors. »

Tu vois bien que ton ami n'est pas convaincu et qu'il veut en finir parce que vous parlez depuis deux heures et qu'il doit retourner travailler. Toi-même tu es très pessimiste, tu sens que ça ne va pas marcher. Quand tu raccroches il est six heures, l'aube pointe mais dans ta tête ce sont les ténèbres, tu as l'impression de tourner en rond dans un labyrinthe dont l'issue t'échappe et tu ne cesses de te demander ce qui a pu donner à Christophe ou Sébastien le sentiment qu'Olga n'était pas la femme de ta vie.

Un matin, sans crier gare, sa résistance tombe : elle te communique le fameux numéro. Ton angoisse disparaît d'un coup. Tu ne la comprends pas mais tu l'aimes. Tu ne pouvais aimer qu'une Russe, c'est l'évidence. Une femme qui te comble autant qu'elle te torture, une femme dont l'âme a des méandres où tu te perds et avec qui l'amour est un mystère sacré.

L'idée te vient de l'emmener à Paris pour la Saint-Valentin et de lui offrir la bague de fiançailles à genou devant le Sacré-Cœur tandis que vous contemplerez Paris à vos pieds. Tu sais que Sébastien doit partir en voyage, tu l'appelles pour lui emprunter son petit appartement de Belleville. Il refuse sans ambages : son propriétaire qui habite l'étage au-dessous se plaint d'être réveillé par les craquements du plancher sous ses pas malgré les tapis ; entre votre passion et votre décalage horaire, Olga et toi le brouilleriez définitivement avec lui, et il ne peut pas courir le risque d'être expulsé alors qu'il a un livre à rendre avant le mois d'avril. Tu as beau insister, il reste ferme. Tu croyais que Sébastien était un vrai ami qui se souciait de toi et de tes amours. Dans ta tête l'affaire était conclue. Furieux, tu lui raccroches au nez. Tu renonces à ton projet romantique : avec l'hôtel, le voyage te coûterait trop cher, et ton compte est à sec.

Olga ne cesse de te surprendre. Elle a des attentes qui sont comme des règles d'or : que tu paies au restaurant, que tu lui apportes de magnifiques bouquets de roses blanches ou de lys, ou des orchidées – le blanc est sa couleur préférée. Elle a grandi en lisant Alexandre Dumas : tu dois te montrer digne de d'Artagnan. Elle-même est d'une prodigalité qui t'épate. Elle rapporte de Saint-Pétersbourg une boîte de caviar qui a dû coûter des centaines de dollars et que vous videz à la cuiller en un soir, d'énormes bouchées d'œufs d'esturgeon gris qui fondent sous votre palais, exquis, avec la meilleure des vodkas qu'elle s'est également procurée. Elle t'offre l'imperméable Burberry que tu as essayé dans le plus beau magasin de Portland et renoncé à acheter même s'il t'allait à ravir – une folie. Quand vous sortez avec des collègues, tu sais qu'elle est choquée par les comptes d'apothicaire que pratiquent les profs d'université : tu t'empares de l'addition. Tu aimes sa façon de penser – de dépenser – et de marcher sur des talons aiguilles comme dans des chaussons. Quand elle te voit arriver sur ton vélo, elle te trouve « *romantik* », et tu comprends vite que ce n'est pas un compliment : le qualificatif même du *loser*. Tu commences à prendre des leçons de conduite. Même si elle a quitté la Russie dont elle critique vigoureusement la vision stéréotypée des rapports entre les hommes et les femmes, elle reste russe : un homme, ça boit. Elle apprécie que tu aies ce grand corps qui absorbe bien l'alcool et que tu ne boives pas n'importe quoi mais

146

les meilleurs vins : que ce ne soit pas pour toi une façon d'oublier, mais un adjuvant du plaisir. Tu finis par apprendre que même ton insistance pour obtenir son numéro de portable ne te l'a pas aliénée : un homme doit être effronté. Pendant vos nuits d'amour, cette femme dévoreuse t'appelle son *medvejonok* (son ourson) ou son *kabantchik* (son petit cochon). Tu ne te nommes plus autrement en t'adressant à elle : le *kabantchik*. Mais elle garde les pieds sur terre, et la tête froide. La fois où ses règles sont en retard de dix jours, tu imagines une Natacha à fossettes ou un petit Ivan aux yeux mongols né de vos chairs mêlées, et tu es déçu quand le sang finit par couler. Olga est soulagée. Il faut faire les choses dans l'ordre : le mariage, la titularisation, l'enfant.

Tu aimes une femme qui t'aime. Tu vas rencontrer ses parents pendant l'été et te fiancer sur les rives de la Neva. Tu es sans inquiétude quant à l'année prochaine, car ton poste a été renouvelé dès l'automne pour une autre année. Eli t'a choisi pour diriger son mémoire de fin d'études sur le cinéma. Quand Keith Jarrett reçoit en mars le Polar Music Prize qui le consacre aux yeux du monde, tu t'en réjouis comme si tu avais toi-même reçu un prix, car ce choix confirme tes valeurs. Tu es heureux à Reed, et Portland est sans doute la seule ville des États-Unis où il fait bon vivre quand on est français en ce printemps 2003 où Bush vient de déclarer la guerre à l'Irak sans l'accord des Nations unies, où les Américains taxent d'arrogance et d'ingratitude le président français qui refuse de soutenir leur croisade (tu n'aurais jamais imaginé à dix-sept ans que tu te revendiquerais un jour de Chirac !), où les *French fries* sont rebaptisées *freedom fries* dans tout le pays, et où Condoleezza Rice parle de « punir la France » comme s'il s'agissait d'un enfant de quatre ans. À Reed, intelligence rime encore avec tolérance. Le printemps s'achève par une apothéose, la fête de fin d'année que l'on nomme Renn Fayre et qui est une particularité de Reed, délirantes bacchanales de trois jours où tout est permis, véritable orgie romaine et sadienne. On te l'avait décrite mais tu n'aurais pas cru un tel événement possible. Tu participes à un concours où tu manges un ver de terre cru ; tu chantes faux dans un chœur en t'en donnant à cœur joie. Des grappes d'étudiants nus et peinturlurés traversent le campus en courant, d'autres se travestissent, certains font l'amour dans les jardins de la fac, des drogues de toutes sortes circulent. Trois jours d'expérimentation libre et folle. Tu es au paradis. Quand Eli, un soir où vous avez bu trois ou quatre bières, te dit qu'il pourrait peut-être te tutoyer en français puisque vous allez travailler ensemble et que tout le monde ici te tutoie sauf lui, tes yeux pétillants se plissent en un sourire malicieux qui étire ta bouche et dégage tes dents tandis que tu répliques :

« *Haha, hey, let's not rush into things !* »

Tu l'aimes vraiment beaucoup, ce délicieux Eli à qui, en cours, tu as fait lire à voix haute la scène de *Voyage au bout de la nuit* où Ferdinand perd sa virginité. Il te rappelle tes amis Sam et Christophe, ceux que tu as sans cesse envie de prendre dans tes bras et que tu aimes d'une affection aussi physique que fraternelle.

Début juillet, après ton tour rituel dans le sud-ouest de la France avec tes meilleurs amis, tu t'envoles pour Saint-Pétersbourg. Olga et ses parents t'accueillent à l'aéroport. Tu domines d'une tête le père et la mère, qui s'adressent à toi dans un anglais hésitant. La mère est jolie. Olga lui ressemble : les yeux mongols, les cheveux noirs, les fossettes. Quand tu veux enlacer ton amie que tu n'as pas vue depuis un mois, elle se dérobe : pas devant ses parents. Tu ne peux même pas lui prendre la main en marchant : ce geste tendre la contrarie comme un manque de convenance.

Elle t'avait écrit que tu serais hébergé chez sa grand-mère, qui passe l'été ailleurs. Comme vous n'êtes pas mariés ni même encore officiellement fiancés, il n'est pas question que ses parents croyants et stricts sur ce plan-là te reçoivent chez eux. Il y a eu un changement : l'appartement de la babouchka est en travaux et inhabitable. La famille te conduit à un hôtel dont l'immense hall sinistre, les fauteuils carrés années soixante-dix et le réceptionniste à tête de brute semblent tout droit sortis d'un film soviétique. On t'y laisse seul pour que tu te reposes. Tu n'as aucune envie de dormir. Olga part avec ses parents sans te consulter comme si tu étais un vague cousin, un ami distant – un étranger. La Brute te demande ton passeport et ta carte de crédit. Tu découvres que ta chambre d'hôtel n'est pas payée par tes futurs beaux-parents. L'hôtel a beau être vieux et sinistre, c'est cent cinquante euros par nuit à tes frais, alors que tu n'as plus un sou, que ton compte est à découvert.

Tu as le sentiment d'avoir été dupé par Olga. Le soir, en présence de ses parents puisqu'ils ne vous quittent pas, tu la sommes de s'expliquer. Elle t'enjoint de réduire l'intensité de ta voix. Les jours suivants, la colère monte. Tu n'arrives pas à t'endormir dans ta chambre d'apparatchik et les visites touristiques organisées par les parents d'Olga t'obligent à te lever tôt chaque matin. Tu es épuisé. Au restaurant le garçon dépose l'addition devant toi : les parents d'Olga s'attendent que leur futur gendre, professeur d'université en Amérique, témoigne de son respect et de son aisance matérielle. Tu as l'impression de leur avoir été livré par Olga pieds et poings liés avec une obligation : faire ta demande. Un soir, dans un bar près de ton hôtel, tu remarques une femme blonde, seule devant son verre de vin. Tu lui souris, elle t'invite à sa table. Dans un anglais trébuchant, elle t'explique qu'elle vient de divorcer et se réfugie dans ce bar les soirs où son fils de huit ans va chez son père, quand elle n'arrive pas à dormir. Tu lui racontes ton ordalie. Elle aussi pense que tu es tombé dans un traquenard : Olga et ses parents te manipulent pour te pousser à te déclarer. Typiquement russe, dit-elle. Tu la suis chez elle ce soir-là. Vos solitudes s'assemblent et s'apaisent.

Ta colère finit par exploser lors d'une promenade avec Olga, le second moment de la semaine où vous vous retrouvez seuls. Tu veux l'embrasser, elle se dérobe et se fâche. Vous marchez en silence, plus éloignés l'un de l'autre que si un océan et deux continents vous séparaient. Elle te reproche de la décevoir. Elle ne comprend pas pourquoi tu es en train de tout gâcher. Ton comportement la force à s'interroger sur votre avenir commun. L'idée qu'elle te fait porter la responsabilité de l'échec alors que, depuis six jours, tu sembles ne plus exister à ses yeux t'est insupportable. Tu es tenté d'éclater de rire comme un fou ou de te jeter dans la Neva devant elle puisque vous êtes en train de traverser un pont – qui mène où ? Tu ne regardes même pas autour de toi, tu ne vois rien de cette ville que tu te réjouissais tant de découvrir. Au lieu de sauter dans l'eau, tu lèves impulsivement la main. Tu interromps son flux de paroles aigres par une gifle dont le claquement la laisse coite. Elle a la bouche ouverte. Ses narines frémissent de rage. Elle en devient laide. Des larmes sortent de ses yeux. Elle se met à hurler dans une langue que tu ne comprends pas.

Sa langue. Ce n'est pas à toi qu'elle s'adresse mais à deux silhouettes qu'elle a aperçues à l'autre bout du pont. Deux hommes en uniforme courent vers vous. L'un est aussi grand que toi et deux fois plus large. Une armoire à glace. Ils se jettent sur toi, le plus grand te tord les bras dans le dos et te fait si mal que tu crains d'avoir l'épaule démise, ils te passent les menottes sous les yeux d'Olga qui ne s'adresse qu'à eux, leur racontant tu ne sais quels mensonges. Des badauds te dévisagent comme si tu étais un pervers sexuel. Les Russes te poussent à l'arrière d'une voiture. Olga monte à l'avant, et un flic prend place à côté de toi. Le véhicule s'arrête devant un poste de police, où Olga parle à une secrétaire qui prend des notes sur un vieil ordinateur. On t'enlève les menottes. Un autre flic te dit dans un anglais avec un fort accent qu'en Russie on ne traite pas les femmes ainsi. Tu hoches la tête humblement. Tu veux juste sortir d'ici. Mais les policiers te poussent dans une cellule. Tu appelles Olga, tu cries son nom, tu la supplies de ne pas te laisser là. Elle s'en va sans te répondre. Tu passes la nuit dans une cellule que tu partages avec un drogué en manque dont les cris te réveillent dès que tu t'assoupis sur ton banc, et un clochard aviné aux dents pourries qui sent extrêmement mauvais. Le message est clair : dans son pays, contre elle tu n'as aucune chance de gagner.

Le matin la grille s'ouvre. Le policier qui parle anglais t'apprend que tu as de la chance : elle a retiré sa plainte. C'est un avertissement. La prochaine fois, tu ne t'en sortiras pas aussi facilement. Tu quittes en silence le commissariat. Tu as très mal à l'épaule. Tu vois un taxi, tu montes dedans, tu donnes le nom de ton hôtel. Tu retrouves l'immeuble de la femme blonde, tu vas sonner chez elle. Tu pleures entre ses bras. C'est elle qui appelle la compagnie aérienne et t'aide à changer ton billet d'avion. Elle te met dans le bus pour l'aéroport. Tu pars le jour même, une semaine plus tôt que prévu. À Paris tu loges chez ton père puis chez Sébastien, détendu depuis qu'il a rendu son livre, avec qui tu te réconcilies. À tes amis, à ta sœur, tu te contentes de raconter l'histoire de l'hôtel que tu as dû payer : ils trouvent comique ce clash des cultures, ils t'imaginent en Tintin au pays des soviets, ils rient de ton projet de mariage avorté et tu ris avec eux, comme si toute cette aventure n'était qu'une bonne blague.

Tu rentres à Reed au mois d'août. Olga et toi ne vous êtes pas écrit depuis ta fuite de Saint-Pétersbourg un mois plus tôt. Tu es certain qu'elle va s'excuser. Ce n'est qu'une question de temps. Tu la connais. Loin de l'influence délétère de ses parents et de son pays, elle ne peut que redevenir elle-même, se rappeler votre amour et, en se rendant compte de ce qu'elle t'a fait, sentir une honte aussi forte qu'un personnage de Dostoïevski. Un soir la sonnerie retentira : celle de la porte, pas du téléphone. Elle sera sur le seuil et tombera dans tes bras. Le jour de la mi-septembre où tu vérifies tes e-mails et vois son nom dans la liste des expéditeurs, ton cœur bat à toute allure. Son repentir est plus rapide que tu ne le pensais, ou sa fierté moins grande. Tu ne sais si tu es déjà prêt à lui pardonner. Tu cliques sur le message et tes yeux s'écarquillent : loin de te présenter ses excuses, elle t'écrit que ses parents attendent toujours les tiennes et que ton départ de Saint-Pétersbourg sans un mot de remerciement a choqué sa mère. Sans transition, elle te demande le nom de ce bordeaux que tu avais recommandé à son père. Il n'y a qu'une explication à un pareil message : elle est folle. Tu ne réponds pas. Tu évites les lieux où tu pourrais la rencontrer. Tu ne vas jamais à l'étage du département de littérature comparée, ni à la cafétéria ou dans les cafés qu'elle fréquente. Le jour où tu aperçois de loin sa fine silhouette en entrant dans la bibliothèque, tu fais volte-face, les jambes flageolantes.

Octobre pare à nouveau les arbres de couleurs flamboyantes, tu donnes un cours sur le cinéma et l'histoire, Portland est toujours la ville de la liberté, mais pour toi, ce n'est pas le même automne. Tu n'exultes pas, tu n'es que l'ombre de toi-même, même si tu tentes de donner le change. Au souvenir de ta nuit dans la cellule de Saint-Pétersbourg et du policier qui t'a tordu le bras, la honte brûle tes joues et la haine gonfle ton cœur. Tu entends les mots de russe, tu revois la grille qui se referme sur toi tandis qu'Olga s'en va sans écouter ton appel. Tu l'avais giflée, soit, mais quel rapport entre ce geste passionnel et la violence institutionnelle qu'elle a exercée contre toi ? Elle a détruit l'espace privé de l'amour entre vous, de l'amour tel que tu l'entends, tel que le chante Billie, qui défendrait son homme envers et contre tout : *Well, I'd rather my man would hit me / than for him to jump up and quit me / Ain't nobody's business if I do / I swear I won't call no copper, / if I'm beat up by my papa / Ain't nobody's business if I do...* Ce que tu ressens, ce n'est pas seulement l'humiliation et la colère, mais aussi l'amertume et le chagrin de t'être trompé sur elle, d'avoir aimé une femme qui n'est qu'une illusion. Ton père t'a demandé des nouvelles d'Olga qu'il avait trouvée charmante quand il était venu te voir à Portland au printemps. Tu as dit que c'était fini. Discret, il n'a pas posé de questions. Le seul à qui tu réussis à dire la vérité, c'est Thad, ton ancien étudiant qui travaille maintenant dans un McDonald's et que tu aides à monter un dossier pour obtenir une bourse Fulbright. Mais tu te disputes avec lui le jour où il te reproche de ne pas l'écouter quand il te raconte ses problèmes avec sa petite amie. Tu n'as pas de patience pour les chagrins d'un autre. Pas de patience non plus pour les étudiants de première année qui massacrent la langue française, et tu embauches Eli pour corriger leurs copies.

Lugubre automne. Début octobre tu as reçu un appel de Nicolas, qui t'a appris que le père d'Alex, mon beau-père, s'était suicidé. Un homme de soixante-douze ans, en bonne santé encore, doux, intelligent et courtois, qui aimait tant la musique classique. Tu te rappelles son subtil sourire et vos conversations sur les différentes interprétations des quatuors de Beethoven ou des lieder de Schumann. Tu es profondément choqué. Tu imagines le désarroi de ma belle-mère qui se retrouve seule, tu penses à ta mère que ton père a quittée quand elle avait cinquante ans, tu penses à ta mère morte quand tu en avais trente, qui t'a abandonné. À New York où tu passes les vacances de Thanksgiving fin novembre, tu m'écoutes, très triste, te raconter l'appel qui nous a réveillés à quatre heures du matin, le départ d'Alex en pleine nuit, le sac en plastique sur la tête de son père dont la vision a été un tel choc pour lui. Quand je te demande ce qui s'est passé avec Olga, tu réponds juste que c'est fini et tu refuses d'en dire plus.

À l'horizon se profile l'incertitude de l'avenir. Ton contrat était pour deux ans, tu dois te remettre sur le marché du travail. À l'automne, au creux de la dépression où t'a laissé l'échec avec Olga, tu découvres qu'un poste de professeur assistant à Reed à la rentrée prochaine a été créé. Il correspond exactement à ton profil : vingtiémiste avec un intérêt pour le cinéma. Tu es dans la place, tout le monde est content de toi, tout s'est bien passé l'an dernier. Ta thèse est enfin terminée : tu es docteur. En mai dernier ton père a fait le voyage depuis Paris pour te voir défiler en toque et en toge sous la grande tente blanche dressée dans les jardins de Columbia. Tu t'apprêtes à transformer la thèse en livre. Tu as donné quelques conférences, écrit deux nouveaux articles. Ton projet sur Mitry se précise. Tes étudiants t'adorent. Deux d'entre eux t'ont choisi pour diriger leur mémoire de fin d'études. Ton passage du statut de lecteur à celui de professeur ne devrait être qu'une formalité. Tu es surpris que le département ait publié l'annonce sans même t'en parler, mais Khaled te rassure en t'apprenant que l'université est tenue légalement d'interviewer d'autres candidats. De toute évidence, ce poste a été créé pour toi et t'est réservé.

Tu as regardé les autres offres. Il y en a encore moins que deux ans plus tôt, et aucune dans une bonne université sur la côte est. La seule chose que tu reproches à Portland, c'est sa distance de Paris. Le décalage horaire de neuf heures t'épuise. Malgré cela et la présence d'Olga, tu ne souhaites qu'y rester. De toute façon, tu n'as pas l'énergie d'envoyer d'autres candidatures.

Tu joues le jeu. Tu écris une lettre de motivation à ton collègue qui dirige le comité d'embauche, en décrivant sans mentir les joies que t'a données Reed et les contributions que tu as apportées. Malgré ta fatigue, tu trouves la force de rassembler les pièces du dossier, de passer les coups de fil nécessaires, de contacter ton directeur de recherche pour qu'il réactualise sa lettre de recommandation maintenant que ta thèse est finie. Tu donnes une conférence que tu n'as pas eu le temps de bien préparer, mais au moins tes collègues peuvent constater que tu te lances dans de nouvelles recherches. Ils te font passer l'entretien sur le campus, sans attendre la MLA.

En janvier, tu apprends qu'un autre candidat a été retenu. Pour la seconde fois tu es, des deux, celui qui perd.

Tu sais l'erreur que tu as commise à Princeton. Une toute petite erreur politique qui, tel un grain de sable, a fait dérailler la machine dont tu avais si bien huilé les rouages. Tu avais passé seulement deux jours sur le campus. Les professeurs de Princeton n'ont pas eu le temps de te connaître. Ton échec était dû à une imprudence – pas à ta personnalité.

Tu enseignes depuis un an et demi à Reed où tu as

vraiment l'impression d'être apprécié par tous. Que s'est-il passé ? Qui t'es-tu aliéné ?

Khaled aussi est en passe de perdre son poste, mais tu sais pourquoi : il a causé plusieurs scandales en offrant de la cocaïne à une étudiante qui l'a dénoncé et en séduisant la femme d'un employé de l'université qui a quitté son mari par amour pour lui, alors qu'il n'en demandait pas tant. Tu n'as commis d'autre crime que de partager un joint avec quelques étudiantes de la Maison française – ce que tout le monde fait ici.

Tes collègues avec qui tu allais boire des verres ou des cafés l'an dernier tout en discutant de littérature ou de politique, départementale ou mondiale, et que tu n'as guère fréquentés cet automne car tu n'avais envie de voir personne, te disent qu'ils n'en savent pas plus que toi : ce n'est pas eux qui ont décidé. Derrière chaque moue compatissante, tu soupçonnes une traîtrise. Tu n'as pas d'ennemis déclarés. Ceux qui t'ont poignardé par-derrière sont ceux avec qui tu as discuté, plaisanté, ri l'an dernier ; peut-être même ceux à qui tu as confié cet automne ta défaite amoureuse et ta dépression.

Le monde t'apparaît à nouveau sous les plus sombres couleurs. Elisa, Ana, Olga. Princeton, Reed. Les femmes, les postes t'échappent les uns après les autres. Ce n'est pas le moment de macérer dans ton ressentiment. Tu n'auras plus d'emploi – plus de salaire, plus d'assurance médicale – à partir de juillet. Il faut que tu en trouves un. N'importe où, n'importe lequel, en attendant le marché du travail de l'année suivante. Tu ratisses large. Tu envoies tous azimuts des lettres obséquieuses pour convaincre le péquenot dirigeant un inexistant département de littérature au fin fond du Midwest que tu serais la personne idéale pour enseigner quatre cours de français débutant par semaine. Le problème, c'est que tu es ce qu'on appelle « surqualifié ». La richesse de ton CV effraie.

Tu te demandes ce que tu vas faire. Retourner en France ? À trente-cinq ans ? Tu n'as pas les diplômes pour enseigner au lycée, et intégrer l'université française est presque impossible, d'autant que tu n'as jamais traduit ta thèse en français.

« Je suis vraiment dans une mauvaise passe », répètes-tu le soir où tu dînes à la cafétéria du campus avec Eli et sa petite amie qu'il voulait te présenter.

Tu ne la remarques pas, tu ne prononces pas un mot d'anglais alors qu'elle ne connaît pas le français, et tu ne comprends pas pourquoi Eli te boude les semaines qui suivent, comme tu n'as pas compris pourquoi Thad ne voulait plus te voir. Tu penses que tous s'éloignent parce que le malheur fait peur.

Une nuit tu rêves d'Olga. Vous êtes dans une vaste maison victorienne aux portes ouvertes où tu aperçois sa silhouette évanescente qui passe d'une pièce à l'autre, et tu as la certitude, soudain, qu'elle te cherche. Tu te mets à courir, à monter et à descendre des escaliers, et tu l'entends qui court aussi, non pour te fuir, mais pour te trouver. Vous entrez tous deux dans la même pièce par deux portes opposées et tombez dans les bras l'un de l'autre en vous étreignant passionnément. Tu te réveilles avec l'oreiller placé contre ta poitrine, juste à la hauteur de sa tête. Tu sens un amour si fort, si plein, et sa présence si réelle, que tu n'arrives pas à croire qu'elle n'est pas dans le lit près de toi.

Tu lui écris le matin même. Elle te répond dans la minute qui suit, comme si, depuis des mois, elle n'attendait que ton message. Quand tu vois son nom dans la liste des expéditeurs, tu sens une telle émotion que tu te demandes pourquoi tu as perdu six mois. Elle accepte de te revoir. Vous vous donnez rendez-vous le lendemain pour le petit déjeuner dans un café bio près de l'université. À peine aperçois-tu sa fine silhouette aux cheveux courts et aux yeux mongols que tout ton corps se met à trembler. Ce que tu éprouves est proche de la terreur. Tu te penches pour l'embrasser : elle s'écarte. La douleur dresse entre vous un mur de glace. Les paroles ne servent qu'à vous éloigner. Tu assistes impuissant à vos retrouvailles ratées.

Après une nuit d'insomnie, tu lui envoies un message bref où tu réussis à dire l'essentiel en une phrase : « Un lien spirituel entre deux êtres ne meurt jamais. » Elle te répond aussitôt. Elle te dit qu'elle ne s'exprime pas par les mots, mais par les actes : le fait qu'elle ait accepté de te revoir en dépit de ce que tu lui as fait en est le signe. Hier elle a pleuré toute la journée après t'avoir quitté – comme elle a pleuré tout l'été à Saint-Pétersbourg après ton départ : elle n'a plus de larmes pour toi. Elle ne veut pas d'une relation où vous vous disputeriez sans cesse et vous réconcilieriez au lit. Elle souhaite connaître tes plans d'avenir pour vous deux. Si tu n'en parles pas, c'est que seul t'intéresse le « lien spirituel » entre vous. À toi de décider, conclut-elle.

Chaque mot de son message te révolte. Elle ne parle que d'elle et de ses larmes. Croit-elle avoir la palme de la souffrance ? « Ce que tu as fait », dit-elle. Ne comprend-elle pas que c'est elle qui n'a pas su couper le cordon ombilical avec ses parents ? Elle ne se soucie pas de toi, ne t'écoute pas. Elle te laisse « décider » : quelle décision, quand tu as perdu ton poste et que rien ne dépend de toi ? Quels plans d'avenir, quand tu ne peux voir plus loin que ta survie l'an prochain ? Ne connaît-elle pas la cruauté du marché du travail ? Ne pourrait-elle montrer un peu de douceur et de compassion ? Te soutenir ?

Tu ne lui réponds pas.

En mars, peu avant de partir en France pour les vacances de printemps, tu reçois un coup de fil : on t'offre un poste d'un an à l'université d'Utah à Salt Lake City.

Salt Lake City. Une ville dont tu connais le nom seulement à cause des jeux Olympiques de 2002, et où tu n'aurais jamais eu l'idée de mettre les pieds. C'est une université publique et un poste de lecteur au salaire modeste. Tu l'acceptes sans discuter aucune des conditions. Quelqu'un te veut quelque part.

La capitale des mormons. La ville du lac de sel. La connotation biblique n'est pas pour te déplaire. New York, vu de Salt Lake City, est une autre planète. Même Portland. Tes étudiants éclatent de rire en apprenant où tu vas échouer : toi, chez les mormons ? Vision grotesque, surréaliste. Tu ris de bon cœur avec eux. Échouer, il n'y a pas de verbe dont la multiplicité de sens soit plus appropriée à ton cas : 1) ne pas réussir ; 2) toucher le fond par accident et couler ; 3) s'arrêter dans un endroit par hasard et sans l'avoir voulu. On pourrait même dire, pour citer Beckett (« Déjà essayé. Déjà échoué. Peu importe. Essaie encore. Échoue encore. Échoue mieux »), que tu échoues de mieux en mieux.

Est-ce le soulagement d'avoir un lieu où échouer l'an prochain ? La chape d'angoisse s'est soulevée, et tu sens à nouveau l'envie : de lire, de rire, de te promener, de voir des amis, de draguer. Après t'être terré tout l'automne et l'hiver, tu t'éveilles avec le printemps. Tu commences à connaître ce rythme, le très haut suivi du très bas, les montagnes russes des émotions, le bonheur du printemps et de l'été suivi du désastre de l'automne et de l'hiver, suivi d'un nouveau printemps. Proust retrouve le temps, et toi la joie. Sans doute est-ce le rythme de la vie, celui du mythe de Déméter que les dieux ont contrainte de laisser sa fille unique rejoindre pendant l'hiver son époux aux enfers, avant de remonter auprès de sa mère au printemps. Les bourgeons sortent, les fleurs éclosent, les bras se dénudent, la vie revient. *Fish in the sea, you know how I feel / River runnin' free, you know how I feel / Blossom on the tree, you know how I feel / It's a new dawn, it's a new day, it's a new life for me, / And I'm feeling good !*

À Paris où tu débarques en mars, tes amis et ta famille t'attendent. Tu habites quelques jours chez ta sœur, puis chez Sébastien avec qui tu t'es entièrement réconcilié, chez Christophe, chez ton père, et tu te sens à nouveau ancré sur la terre. Ton père vous a fait, à ta sœur et à toi, un magnifique cadeau : cinquante mille euros qui vont te permettre d'acheter un appartement en complétant cette somme par un emprunt. Contrairement à Nicolas qui déteste le capitalisme, tu trouves l'investissement immobilier très intelligent. Tu veux ton pied-à-terre à Paris. Tu n'as pas besoin de chercher longtemps. Par un cousin tu entends parler d'un professeur qui vend de toute urgence un deux-pièces dans le dix-huitième arrondissement, au cœur de la Goutte-d'Or. Tu vas le voir. L'immeuble construit dans les années soixante-dix est plutôt laid et l'appartement riquiqui, mais ses trois portes-fenêtres donnent sur une terrasse en plein ciel d'où l'on voit tout le nord de Paris et le Sacré-Cœur. Tu t'imagines, seul ou avec des amis autour d'une bouteille de champagne, devant ce gros mamelon illuminé se détachant sur le ciel étoilé. Une vue de millionnaire pour soixante-quinze mille euros. Le quartier est, comme on dit, « vivant », mais si proche de Montmartre qu'il te semble devoir s'embourgeoiser inévitablement : à long terme, un bon investissement. Tu ne visites rien d'autre et signes sans hésiter la promesse de vente.

Fin avril, quand tes cours sont finis, Sébastien vient de France te rendre visite à Portland et t'apporte une merveilleuse nouvelle : il a été nommé correspondant de *Libération* à New York et s'y réinstallera juste après l'été. Ton meilleur ami vivra à nouveau sur le même continent que toi, et, même si l'Utah n'est pas la porte à côté, il ne sera qu'à quelques heures d'avion pour t'accueillir quand tu le voudras. Tu sens se desserrer la corde de l'exil. Il loue une voiture et vous faites un grand tour jusqu'à Seattle et Vancouver en redescendant le long de la côte. Vous explorez les villes et les parcs nationaux, puis vous sautez de bourgade en bourgade le long du Pacifique. Une semaine de forêts et d'océan, de rire et de légèreté. Au retour, quand vous croisez dans un jardin de l'université un de tes collègues qui s'exclame : « Tiens, voilà l'exalté du campus ! » Sébastien éclate de rire :

« L'exalté du campus ! C'est comme ça qu'on t'appelle ? »

Tu travailles d'arrache-pied avec Eli qui est en train d'écrire sous ta direction, en français, le mémoire le plus riche qu'aura connu Reed : tu veux laisser ta trace en ce lieu. Un jour où il tarde à te remettre un chapitre difficile, tu le réprimandes : « *You're slacking !* » (« tu traînes ! »), et ensuite, même quand il t'apporte des pages, tu répètes avec jubilation ce mot qui claque comme un coup de fouet quand tu le francises : « Tu slaques ! Tu slaques ! » jusqu'à ne plus prononcer que le son initial, « sssl... », en pointant la langue comme un serpent, dès que tu croises Eli sur le campus. Il t'a rapporté les mots qui circulent parmi les étudiants à propos de toi et de Khaled : *kinky, sleazy*. Tu connaissais *kinky*, mais pas *sleazy* dont la prononciation est égale à son sens, glissant et coulant des lèvres comme une limace dégoûtante. Débauché. Vieux satyre. Immoral. Vicieux. Lubrique. Le mot te fait rire, tu aimes le répéter en anglais, il n'ôte rien à l'affection que tu as pour tes étudiants. Qu'est-ce que le vice sinon la certitude que, dans un trou comme Portland – car Portland est un trou, Eli, il ne faut pas se voiler la face –, seul compte le petit trou noir au cœur de la croupe des femmes, l'étroit orifice entre les deux mappemondes, le trou de délice ? Délicieuse rougeur d'Eli le jour où il s'est approché pour te rendre un livre et où tu as susurré : « De tes trois orifices, celui que je vais prendre, c'est le moins lisse. » Devant son air abasourdi, tu as cité tes sources : Gainsbourg. Il a ri, ton charmant Eli aux airs de vierge effarouchée mais consentante. Il est timide mais ouvert, il est avec toi, avec Casanova, Sade, Gainsbourg, Sollers, Proust et Houellebecq contre tous les imbéciles de la terre. Lubrique, oui, parce que tu ne t'es pas laissé détourner du seul vrai savoir. Il n'y a qu'à voir l'éclat de vie qui brille dans les prunelles ternes de l'étudiant le plus fade quand tu t'exclames : « Ce cul est étonnant ! » La baise est la seule façon d'échapper à l'ennui ; le désir, la seule aiguille indiquant la vie.

Début mai, dans un café sur les rives de la Willamette, tu remarques une fille qui porte une longue robe noire, une musicienne si tu en crois la boîte oblongue appuyée contre le mur à côté de sa chaise. Elle est violoniste dans l'orchestre philharmonique. Pas américaine, mais autrichienne : une Européenne. Elle a fait ses études à la Julliard School. Une New-Yorkaise, comme toi. Juive. Brune, piquante. Elle rit fort. Elle te répond du tac au tac. Elle te regarde dans les yeux. Vous échangez vos numéros. Quand tu la serres rapidement contre toi de ton grand bras juste avant qu'elle quitte le café, elle ne proteste pas. Dès votre rencontre le lendemain dans un restaurant de Chinatown, vous savez que vous n'êtes pas là pour manger et discuter. Vous expédiez ces inutiles préliminaires. Tu la suis chez elle, dans ton quartier préféré à l'ouest de la Willamette, tout près de Powell's City of Books.

Sous la robe noire, floue, tu n'avais pas deviné la perfection de son corps – de ses seins ronds comme des melons, de sa croupe large, de sa peau blanche qui rougit sous tes fessées. Vous restez ensemble toute la nuit et la journée du lendemain, en commandant une pizza à midi pour vous restaurer. C'est une fille qui a lu

Georges Bataille, qui comprend le caractère sacré de la baise. Elle aime les rituels, les jouets et les miroirs. Elle pose. Elle est grave quand tu t'agenouilles devant elle, quand tu remontes sa robe et que tu la retournes. Elle sait que la fessée est un signe d'adoration, que la domination implique que l'on résiste. Tu la soumets. Elle adore ta virilité, ton énergie, ta capacité à faire l'amour pendant vingt-quatre heures sans t'arrêter, ta folie. Tu aimes l'innocence de son obscénité. Sa totale absence de culpabilité.

Tu n'es pas amoureux. Tu revis.

Début juin tu débarques en France. C'est dans ton vieux pays que tu as délaissé comme une peau désuète qu'est ton cœur affectif. Tu files dans le Sud-Ouest avec Zeb, le Bô, le Wolf et le Panda pour votre semaine rituelle de grands crus, de balade et de gastronomie. Cinq jours à déconner comme quand vous aviez dix-sept ans, sans femme, sans souci de travail, sans responsabilité. À Paris, tes amis sont moroses : ils disent qu'il ne se passe rien en France, ils t'envient de ne plus y vivre. Toi, tout t'exalte : les immeubles gris-blanc et le sentiment de douce familiarité quand tu sors du métro, l'élégance de cette fille à vélo rue de Rivoli et ses seins qui pointent sous le tee-shirt, les banquettes en moleskine et les comptoirs en zinc des cafés où tu retrouves tes amis, la serveuse bien roulée à qui tu dis : « Très sexy, ces socquettes ! », le mot *socquettes*. Deux jours à Paris et tu oublies que tu vis les trois quarts du temps dans ce pays fasciste que sont devenus les États-Unis. Tu enfiles ta vie parisienne comme un gant de chevreau étroitement ajusté.

Rive gauche, rive droite, tu jongles avec le temps, tu

cours de rendez-vous en rendez-vous amical, professionnel ou galant, et tu dînes chaque soir chez des amis
différents. Un cigarillo entre les doigts que Sophie et
sa compagne t'ont autorisé à fumer dans leur salon,
devant un époisses coulant à la perfection, un verre de
gewurztraminer corsé et leur porte-fenêtre qui donne
sur le canal Saint-Martin bleu de Prusse dans le crépuscule, tu t'exclames avec autant d'étonnement que de
gratitude : « On est bien, quand même ! » Tu revois ce
directeur de revue que tu as rencontré à un colloque
à Los Angeles et qui t'introduit dans son cercle aussi
amical qu'intellectuel, qui ne compte pas seulement des
universitaires mais des écrivains, des critiques d'art et des
cinéastes. Ils sont ravis d'accueillir parmi eux un jeune
professeur d'université américaine qui sera leur ancre de
l'autre côté de l'Atlantique, et tu es ravi de participer à
leur grande aventure, l'édition de plusieurs volumes qui
feront l'état de la culture aujourd'hui. Tu leur proposes
d'ores et déjà un article sur la culture du DVD et un
autre sur Jean Mitry qu'ils acceptent avec enthousiasme.
C'est là que tu rencontres Véronique, une jolie brune
un peu plus âgée qui, depuis des années, filme la lecture
à haute voix d'*À la recherche du temps perdu* et, comme
toi, connaît le texte par cœur. Votre amitié naissante
ressemble à un coup de foudre.

Tu as signé l'acte définitif de vente et tu as enfin un
lieu à toi dans Paris, dont tu ne risques pas d'être chassé
et où tu n'as de compte à rendre à personne. Tu pends
la crémaillère. Ton appartement est plein à craquer. Le
champagne coule à flots, apporté par tes invités à ta sug-
gestion et conservé dans la baignoire remplie de glaçons

166

comme on le fait à New York. La pluie qui tombe ce soir-là rend difficile l'accès à la terrasse, et une foule remplit le minuscule salon carrelé, la kitchenette et la vaste chambre, transformant ton logement en une boîte de sardines dont la densité donne la mesure de ta popularité. Tous sont là, ton père, ta sœur, des cousins, des voisins, tes amis, les vieux et les nouveaux, écrivains, cinéastes, professeurs, philosophes, journalistes, artistes, intellectuels de tous bords, Français et étrangers, toutes tes connaissances de toutes les strates de ta vie parisienne. Tu connais vraiment beaucoup de monde. Ce n'est pas juste par goût du *networking*, même si tu ne négliges pas l'utilité de ces multiples contacts en France et aux États-Unis. Tu as pour l'autre, son travail, ses idées, sa pensée dont tes questions l'aident à accoucher, une vraie curiosité. Tu te plais, comme dirait Proust, à la diversité des hommes.

La solitude, la tristesse, l'accablement de ton hiver orégonais te semblent depuis Paris un cauchemar qui n'a pas eu lieu. Quel bonheur de te réveiller chez toi le matin, même si tu n'as pu dormir avec le décalage horaire, et de voir par la fenêtre les nuées et ce mamelon grotesque, symbole de répression devenu symbole de Paris, qui domine de sa laideur la colline la plus charmante et la plus pittoresque ! Tu adores Montmartre, ses murs en pierre recouverts de lierre, ses escaliers, ses ruelles pavées et ses rues en spirales que tu connais bientôt comme ta poche. Mais tu aimes encore plus ton quartier, ce petit bout d'Afrique aux rues pleines d'enfants qui jouent, d'hommes assis aux terrasses des cafés ou au bord des trottoirs, de femmes en turban et boubou coloré portant des bébés sur leur dos et de grands cabas. Tu es pratiquement le seul Blanc. Les magasins s'appellent Haïti Market, L'Africa Paris ou, tout près de chez toi, ce nom que tu aurais pu inventer : Supérette Kankan Koula. Les magasins de tissus africains alternent avec les boucheries vendant des têtes de mouton et de chèvre et les boutiques de produits cosmétiques pour peaux noires ou métissées. Tu fais la connaissance de l'Ivoirien qui tient l'épicerie du coin de la rue, du Congolais qui t'initie au *sebene*, l'équivalent africain du jazz, du Marocain qui prépare de délicieux couscous aux Trois Frères pour moins de dix euros. Tu es euphorique. Le jour où tu vois sur le pas de sa porte, à côté de ton immeuble, cette femme âgée au cul énorme portant une grosse casquette en laine noire et un tablier africain, tu as une épiphanie de bonheur. Ce n'est pas un hasard si tu te retrouves là, dans ce Paris vibrant, mélangé, chaleureux, antibourgeois, différent. C'est là qu'est ton désir.

Tu passes chez toi des journées entièrement seul, à lire, boire, fumer tes cigarillos sur ta terrasse, rêver tandis que le piano, le violon, la trompette, le saxophone ou la voix de Nina Simone, forte, énergique, volontaire, résonnent à plein volume dans ton appartement. *In the whole world you know / There are billion boys and girls / Who are young, gifted and black, / And that's a fact !* Tu invites ton père, ta sœur et ses enfants à dîner, tu bois et discutes à la belle étoile avec tes amis toute la nuit. Tu retrouves Nicolas qui, toujours aussi charmant et irresponsable, passe une nuit entière sur ta terrasse à fumer des joints et à rigoler comme quand vous aviez dix-sept ans alors que sa femme est sur le point d'accoucher.

Tu penses à ton Autrichienne, tu l'imagines sur ton lit, attendant fiévreusement d'être disciplinée par toi, tu rêves de son cul extatique saluant avec obscénité le dôme du Sacré-Cœur. Tu lui écris pour l'inviter. Justement, elle joue un concert en Europe au milieu de l'été. Elle meurt d'envie de te revoir.

III

Le prince des nuées

Fin juillet tu viens en Bretagne. Il fait beau. Ton marcel orange met en valeur tes épaules musclées par ton entraînement au gymnase de Reed et bronzées par le soleil du Sud-Ouest et de Normandie. Tu es enchanté d'être de retour sur ce bout de presqu'île sauvage que tu aimes comme si tu y avais tes racines. Tu te réveilles tôt pour courir avec ma sœur aînée sur les sentiers côtiers. L'après-midi tu marches avec ma fille et moi jusqu'aux grandes plages sauvages du côté de l'Atlantique, et tu portes Camille sur tes épaules quand elle est fatiguée. Tu l'appelles tendrement « ma chérie ». Le soir nous mangeons dans la petite maison de mes parents qui ressemble à un pavillon de banlieue et que tu as baptisée « le Château » à la joie de ma mère. Tu as des discussions philosophiques avec mon plus jeune frère, tu prêtes l'oreille aux remarques de mon père sur les pins et le temps breton, mais c'est surtout entre ma mère et toi que rebondit la conversation, sur les procès du Rwanda, Israël et la Palestine, ou les livres d'Imre Kertész. Nous nous disputons ton attention. Seul manque Nicolas dont le bébé vient de naître.

Tu as l'impression d'être le jeune étranger de *Théorème* qui débarque dans une famille dont il séduit tous les membres. La vivacité, la curiosité et l'enthousiasme de ma mère te rappellent la tienne. De la connaître depuis longtemps, tu éprouves pour elle un sentiment filial même si tu l'as peu vue au fil des années. C'est l'été où elle s'habille tout en rose et tu remarques chaque détail de sa tenue, tu suscites des cascades de son rire de jeune fille quand tu la complimentes sur son élégance raffinée, sur ses extraordinaires ceintures roses dont elle exhibe une nouvelle chaque soir :

« Celle-ci est encore plus belle que celle d'hier : cloutée ! Je n'y crois pas : une vraie ceinture de Barbie SM ! »

Même mon père, pourtant ronchon quand un autre mâle excite sa femme, est hilare. Plus nous rions, plus tu jubiles, et plus ton esprit jaillit. On aimerait que tu restes plus longtemps : quatre jours, c'est trop court. Mais tu as d'autres plans. Tu as rendez-vous après-demain sur un quai, gare de Lyon. Tu as demandé à ton amante de ne rien porter sous sa robe. Tu m'en informes ; mon air envieux t'amuse.

Pendant nos promenades je t'ai parlé du livre que j'ai écrit pendant l'hiver et que je viens d'achever, *Autoportrait avec amis*. C'est l'histoire de mes amitiés – de celles qui remontent à une ou plusieurs décennies et qui ont connu des crises, comme la nôtre. Il y a un chapitre sur toi, bien sûr, et un autre sur Elisa. Celui sur toi, je l'ai intitulé « L'âme sœur ». Tu n'as pas lu de manuscrit de moi depuis dix ans. J'aimerais avoir ton avis littéraire, mais j'hésite à te le passer.

« Je dis tout, Thomas, le négatif comme le positif. À la Doubrovsky. Ça ne te fait pas peur ? »

Tu as lu *Le Livre brisé*. Tu te rappelles les terribles passages sur les fausses couches et l'alcoolisme qui ont tué Ilse, la jeune épouse de Doubrovsky. Bien sûr que tu as peur. Mais maintenant que tu sais que ce texte sur toi existe, tu ne peux pas ne pas le lire. Tu brûles de curiosité.

Dès que tu te retrouves dans ta chambre sous les toits à deux heures du matin, à la fin d'un dîner où la conversation entre ma mère et toi s'est poursuivie encore plus tard que d'habitude, tu regardes la table des matières et sépares du reste les chapitres sur toi et sur Elisa. Tu commences par le tien.

La première page te décrit penché comme la tour de Pise sur ta voisine de table à un dîner chez les parents d'Alex il y a quelques années, débraillé et transpirant, le tee-shirt bâillant sur ta poitrine. Tu hausses les sourcils. Tu te rappelles ce dîner et l'élégant tee-shirt Calvin Klein que tu portais sous le pull en cachemire que la chaleur dans l'appartement t'avait forcé d'ôter. Cette scène où je fais rire à tes dépens annonce la couleur de mon regard sur toi. Mais bon. Tu es capable de passer par-dessus les petites blessures d'amour-propre.

Je résume ta vie – ce que j'en sais – en vingt-cinq pages. Tout y est, notre liaison quand tu avais vingt ans, tes amours avec Elisa et Ana que je nomme respectivement Dolores et Dora, nos promenades sur la plage dans le Connecticut, à Central Park, et, par les après-midi d'hiver, le long de la rivière Hudson où s'entrechoquent des blocs de glace vert pâle. J'ai un certain talent pour la description, et tu revois nos longues marches contre le vent glacé qui rougissait nos joues, ébouriffait nos cheveux et nous exaltait l'un autant que l'autre. Au fil des pages le ton change. Je raconte tes échecs professionnels que j'ai transposés dans un autre domaine en te transformant en directeur d'Alliance française, ta rencontre d'Olga que j'appelle Sasha, notre dîner dans un restaurant japonais de Midtown il y a un an et demi où tu as apparemment passé trois heures à me parler d'Olga tandis que je m'ennuyais ferme et, contemplant ta chemise noire rentrée dans ton jean noir trop serré, tes lunettes noires et tes cheveux trop longs, songeais que tu avais l'air déguisé en New-Yorkais, que tu t'étais provincialisé, que tu avais perdu ta désinvolture et ta liberté : en un mot, que tu étais pathétique. Voilà à quoi je pensais au moment où tu me faisais part de ta souffrance.

Tu as beau t'indigner, tes larmes coulent sur la feuille. Un échec amoureux ou professionnel après l'autre, tu te prends en pleine face, comme une claque, une minable image de toi. Tu apparais comme un pauvre type, un bouffon, un raté. Le seul sentiment noble que je décris, c'est mon propre chagrin d'avoir perdu mon « âme sœur ». À la fin je cite *L'Albatros* de Baudelaire :

> *Le Poète est semblable au prince des nuées*
> *Qui hante la tempête et se rit de l'archer ;*
> *Exilé sur le sol au milieu des huées,*
> *Ses ailes de géant l'empêchent de marcher.*

Je te compare à « ces rois de l'azur, maladroits et honteux », à l'oiseau aux « ailes de géant » dont se moquent les marins qui l'ont attrapé. Ton cou se tend vers les sphères de l'esprit, le ciel de la musique et l'air pur de la littérature, mais, comme l'albatros, tu as ces ailes de géant qui t'encombrent – ce grand corps maladroit, gesticulant et transpirant, cette exubérance épuisante –, des ailes rognées par la médiocrité du monde professionnel auquel tu es mal adapté. Tu es le prince des nuées exilé sur la terre. Je pense sans doute que cette comparaison poétique te flattera. Je n'ai pas conscience qu'elle te fige en inadapté.

Tu parcours le chapitre sur Elisa. C'est du même acabit. Tu ne lis pas le reste.

Tu ne dors pas. Ta gaieté des jours précédents a fondu comme neige au soleil. Tu penses à l'échec de tes amours, à ton renvoi de Reed après ton erreur à Princeton, à tes projets qui n'ont pas abouti : ton roman sur Elisa, ton disque autour de Proust, ton scénario avec Tony. Tu penses à ton départ pour cette ville inconnue où tu seras dans quinze jours, pour ce trou du cul du monde, Salt Lake City. Tu revis l'humiliation du jour où tu as appris que le poste à Reed avait été donné à un autre. Ton patron ne t'a même pas appelé. Tu l'as découvert par hasard quand tu as demandé en plaisantant à la secrétaire du département pourquoi elle avait cet air concentré et qu'elle t'a répondu sans penser à mal qu'elle tapait le contrat de ton remplaçant.

Je suis ton amie. Je ne suis pas méchante, tu l'as compris. Mais comme j'ignore la fragilité, comme j'ignore le mal qu'on fait à l'autre en posant le doigt sur ses zones les plus sensibles et en appuyant dessus ! Ma pauvre petite fille qui n'a pas cinq ans, tu as peur pour elle, peur que son bulldozer de mère ne l'écrase sans même s'en rendre compte. Peut-être n'écriras-tu rien, mais au moins tu ne feras ce mal-là à personne. Tu te préfères dans la peau du bouffon pathétique que dans celle d'une femme qui te donne à lire un tel texte en te demandant ton avis « littéraire ». Un texte qui n'est pas seulement blessant, mais mauvais. Tu es partial, soit, puisqu'il s'agit de toi, mais tu n'as aucun doute. Tu te rappelles la phrase de Proust dans une lettre à son ami Halévy : « C'est à la cime du particulier qu'éclôt l'universel. » Mon livre n'atteint aucune cime ; il ne t'atteint même pas en profondeur. Il reste au ras des pâquerettes. J'ai transformé ta vie en un fil chronologique dont j'ai ôté toute substance pour la juger à l'aune du succès en suivant des critères purement sociaux.

Même si ces pages te font l'effet d'un coup de massue, tu sais que dès demain tu te redresseras. Ce qui compte, c'est ce que tu sens quand tu écoutes l'adagio du *Quinzième Quatuor* de Beethoven ; c'est ton rendez-vous gare de Lyon après-demain. C'est là qu'est ta vérité ; ta vie. Toi, ton vrai toi, ton être poétique, celui qui rit avec un ami, regarde une femme, un ciel ou un tableau, est absent de ces pages. Si tu aimes tant Proust, c'est pour son intuition fondamentale : la vie véritable est dans les fragments de temps qui échappent au temps. La fameuse madeleine n'est rien d'autre que la rencontre du présent et du passé qui permet de sortir de l'angoisse de la mort en n'étant ni dans le passé ni dans le présent mais entre les deux. Cette phrase du *Temps retrouvé* s'est imprimée en toi : « Une minute affranchie de l'ordre du temps a recréé en nous pour la sentir l'homme affranchi de l'ordre du temps. » Mon texte, c'est l'anti-Proust.

Le lendemain matin tu es en train de lire *L'Équipe*, assis sur une chaise longue dans le jardin, et tu te crispes en sentant soudain mes mains sur tes épaules exposées par le marcel orange.

« Alors ? »

Tu entends l'anxiété dans ma voix. Tu sais que j'attends beaucoup de ce livre, le premier que j'écris depuis la naissance de ma fille. Tu te retournes et me regardes.

« Ce n'est pas au point. Il y a du travail.

— Sûrement. C'est une première version. Tu as tout lu ?

— Non. Juste les chapitres sur Elisa et sur moi.

— Tu n'as pas aimé ? »

Tu hausses les épaules.

« J'ai pleuré, évidemment : c'est tout mon passé. Mais tu rapetisses l'autre… Comment peux-tu réduire la relation à ça, Catherine ? Et moi ? Une caricature ! À mon avis c'est un projet qui ne peut pas marcher. C'est du sous-Doubrovsky. Chez Doubrovsky il y a une ampleur, un souffle, une énergie, une écriture… Ton texte est complètement plat. Et ta posture n'est pas tenable. Tu as un regard en surplomb, une arrogance… Ta mère, Nicolas, toi, vous l'avez tous, dans ta famille. »

Mon sourire s'est figé.

« Tu ne crois pas que tu es trop concerné pour être objectif, Thomas ? Si mon texte t'a atteint, si tu as reconnu ton passé et que tu as été ému au point de pleurer, il ne peut pas être si mauvais que ça, non ? »

J'ai l'air de croire que tu cherches à te venger. *Tit for*

tat, comme on dit dans notre pays d'adoption. Je n'ai vraiment rien compris. Tu te redresses et réponds avec autant de dignité que de tristesse :

« Tu sais, Catherine, les gens ont quand même une vie intérieure. »

Je rougis et me tais.

Tu as trouvé un deux-pièces meublé moderne, spacieux et lumineux avec un plancher de bois clair et de larges baies vitrées qui donnent sur les chaînes de montagnes aux noms exotiques, Wasatch, Oquirrh. L'air est sec, il fait beau. Tu découvres tout près de chez toi un canyon où tu peux faire de longues promenades sous un ciel magnifiquement bleu. Tu vas deux fois par semaine au gymnase de l'université et il a beau être antique – rien à voir avec les machines rutilantes de Reed – tu t'y entraînes. Tu as acheté un vélo d'occasion à cinq vitesses qui te permet d'arriver au campus en moins de dix minutes et d'explorer la ville aux longues avenues très larges – afin, lis-tu dans un guide, qu'au temps de Brigham Young, le fanatique qui a fondé la ville en 1847 pour échapper aux persécutions dont avaient été victimes les mormons à l'est, un chariot puisse y tourner sans que son conducteur se mette à jurer. Salt Lake City n'est pas Portland. L'immense temple des mormons construit en quarante ans, inaccessible aux visiteurs, domine la place du Temple et la ville de ses flèches gothiques et de son architecture monumentale. Près du temple, la librairie est le lieu de la plus grande entreprise généalogique au monde. La petite secte de la religion chrétienne renouvelée, The Church of Jesus Christ of Latter-day Saints, que tout le monde ici nomme par son sigle, *the LDS Church*, est devenue une Église de quinze millions de personnes. Même si Salt Lake City n'est pas peuplée seulement de mormons, on sent partout dans les rues rectilignes de cette ville trop propre l'Amérique religieuse, celle qui t'est la plus étrangère. Au cours de l'automne, tu apprends que certaines de tes étudiantes de dix-huit ans sont déjà mariées, et que des garçons de vingt ans sont pères de famille. Blonds aux yeux bleus. Tu les interroges sur leur vie et leur religion, tu t'intéresses à eux, tu les respectes.

Tu donnes onze heures de cours par semaine en langue, civilisation et littérature, et tu dois à nouveau te remettre sur le marché du travail. Ton contrat n'est que pour un an et tu n'as pas l'intention de moisir ici davantage. Annonces à consulter sur internet, lettres à écrire, documents à rassembler, articles et chapitres de ta thèse à photocopier en multiples exemplaires, dossiers à monter puis à poster avant la date limite : c'est reparti pour un tour.

À peine arrivé, tu as exploré ton quartier et découvert à quelques rues de chez toi un café *slow food* qui est vite devenu ta cantine car la nourriture y est délicieuse, bio, abondante et pas chère. À dire vrai elle n'a pas de coût : on évalue soi-même le prix de son repas, et on paie ce qu'on veut. Tu n'avais jamais vu nulle part un tel concept économique et tu en as discuté avec la propriétaire qui est aussi la cuisinière, Louise, une belle brune de quarante-sept ans aux seins volumineux. Avec ses restes, elle nourrit tous les jours les sans-abri, les drogués, tous ceux qui n'ont pas les moyens. C'est une vraie socialiste. Elle a tout de suite été attirée par toi, et stupéfaite de rencontrer un grand et beau jeune homme comme toi, intelligent, drôle, et qui plus est, célibataire. Vous sortez ensemble. Tu as de l'admiration pour elle. Tu n'es pas amoureux mais il y a entre vous une entente parfaite et un respect qui ne vous empêche pas d'explorer vos corps. Elle n'a pas l'intelligence érotique de ta belle Autrichienne – qui n'est plus disponible car elle a fait cet automne à Portland une rencontre, dont tu te réjouis pour elle – mais elle t'apaise et nourrit ton grand corps de ses plats mijotés dont le fumet excite tes narines et titille ton palais. Louise est maternelle. Elle t'ancre à Salt Lake City.

Tu te fais même des amis parmi tes collègues, deux jeunes professeurs assistants de ton âge qui, comme toi, viennent de la côte est des États-Unis : une Suissesse qui a fait sa thèse à Harvard sur les opéras écrits par des femmes, un Américain du Massachusetts qui a un doctorat de Princeton et dont le livre sur l'argent dans les romans de Balzac et de Zola vient d'être accepté par les Presses universitaires du Minnesota. En ces temps où il est devenu si difficile de trouver un poste en littérature française à l'université, on rencontre au bout du monde des gens qui ont la même éducation et la même culture. Il y a des avantages à être si loin de New York. La compétition est moins forte, on s'intéresse à l'autre pour ce qu'il est, les rapports sont plus chaleureux. Vous allez boire des cafés après les cours, vous vous invitez à dîner chez l'un ou l'autre le week-end, vous vous soutenez. Et Salt Lake City ne manque pas d'activités culturelles : tu emmènes Louise aux pièces de Broadway et d'Off-Broadway jouées au théâtre du Capitole, où les billets sont moins chers qu'à New York – un autre avantage de la province. L'orchestre symphonique de l'Utah donne des concerts tout à fait respectables. La bonne surprise, ce sont les nombreux clubs de jazz et de hip-hop, et les deux remarquables compagnies de danse. En quelques mois tu te recrées un monde.

Tu viens à New York une semaine fin novembre. Tu loges chez Sébastien et retrouves la communauté francophone de vos débuts à New York, ceux qui, comme vous ou après vous, sont venus dans la « grosse pomme » tenter l'aventure. Un journaliste sympathique déclenche ton hilarité en t'appelant Hulk, du nom d'un affreux personnage de bande dessinée vert et extrêmement musclé qui se répand partout. Semaine joyeuse. Tu recharges tes batteries sociales et affectives, avant de retrouver ce qu'il faut bien appeler ta solitude mormone. Tu célèbres Thanksgiving avec Sébastien, Alex et moi chez la mère d'Alex.

Je t'annonce que je suis en train de retravailler mon livre, te remercie pour ta franchise et te dis que tes commentaires, que j'ai compris après coup, m'ont permis de progresser. Je te montre la nouvelle fin, où j'ai incorporé notre discussion de l'été et te fais prononcer des phrases tout aussi grotesques : « *Comment peux-tu réduire la relation à ça ? Et moi ? Une caricature !* » Mais tu ne m'en veux plus. Tu es presque attendri par mon dérisoire acharnement à te représenter. Dès qu'on contemple cette vie avec un tout petit peu de distance, elle n'est qu'une bouffonnerie jouée par de comiques fourmis industrieuses. Paradoxalement nous sommes plus proches depuis que tu as lu noir sur blanc tout ce que je pensais de toi – comme s'il n'y avait plus lieu de se méfier de moi.

Tu profites de ta venue à New York pour relancer tes anciens professeurs. Tu vas boire quelques verres avec Benoît au bar du Soho Grand. Il te met en garde. Trois ans après avoir soutenu ta thèse, tu devrais avoir un livre à montrer.

Tu le sais. L'an dernier tu as d'ailleurs envoyé ta thèse, telle quelle, aux presses universitaires d'Harvard, juste pour faire un test. Elle a été refusée comme de juste. Les deux rapports de lecture détaillés, anonymes, t'ont donné la mesure du travail qui reste à accomplir. Les universitaires américains sont rigoureux : ils exigent que, dès l'introduction, tu énonces l'idée essentielle qui justifie ton livre et surtout que tu te positionnes clairement par rapport aux autres ouvrages sur Proust, notamment les plus récents – que tu n'as pas encore lus. Entre tes déménagements, tes voyages, l'enseignement, ta vie débordante d'activités sur deux continents et les candidatures qui, depuis trois ans, ont dévoré tes automnes, tu n'as pas eu le temps de réviser ta thèse.

Toi qui viens d'une université de l'Ivy League, qui as enseigné deux ans dans une bonne fac privée, puis un an dans une université publique, tu es maintenant prêt à partir n'importe où. Fin janvier tu décroches un poste : professeur assistant à Virginia Commonwealth University, à Richmond.

Tu es infiniment soulagé.

Tes ambitions se sont réduites.

C'est le genre d'endroit où tu n'aurais même pas postulé il y a trois ans. Le département de français n'y existe pas, ni celui des langues romanes. Tu n'auras qu'une seule collègue en français. Ton département est une *World Studies School* où l'on étudie l'anthropologie, la religion, les relations internationales et les langues. On est très loin de la littérature. C'est un établissement public, donc il y a peu de fonds. Ton salaire sera moins élevé que celui que tu touchais à Reed comme simple lecteur. Créée en 1968, c'était au départ une fac de médecine. Pas une mauvaise université, d'ailleurs : elle est réputée pour les sciences.

Ton poste n'est pas glorieux, mais il est « *tenure track* », ce qui veut dire que tu pourras le garder si tu obtiens la titularisation (la *tenure*), et cela devrait se faire sans difficulté dans quatre ou cinq ans, même avec un seul livre. Le campus se trouve sur la côte est, à deux heures d'avion de New York, dans une grande ville où il y a un aéroport, et à une heure et demie en train de Washington DC, qui n'est pas la métropole la plus folichonne, mais quand même la capitale politique des États-Unis et le lieu de nombreux musées magnifiques et gratuits. Richmond, dont tu n'avais jamais entendu le nom jusqu'à cet automne, est historiquement importante et beaucoup plus ancienne que Salt Lake City. Pour t'attirer, le comité d'embauche a mis l'accent sur le grand nombre de salles d'art et d'essai, et tu as été stupéfait d'apprendre que le plus important festival de films français du pays avait lieu à Richmond au mois de mars. C'est une ville pour quelqu'un qui aime le septième art. Tes futurs collègues ont été enthousiasmés par ton idée de créer une unité de cinéma. Ils t'ont laissé entendre que tu pourrais obtenir un congé d'un semestre pour écrire dès la deuxième année. Il est agréable de se sentir désiré.

Tu vas pouvoir te poser et transformer en livre la thèse

qui traîne sur le comptoir de ta cuisine. Il t'est pénible de t'y remettre mais, deux ans et demi après l'avoir finie, tu sens que c'est possible. Le travail de réflexion est fait. Tu vas insister sur l'enjeu politique de l'œuvre et montrer que Proust, dont l'écriture est tout sauf classique au sens habituel du terme (claire et concise), a redéfini le classicisme en s'imposant comme le classique par excellence. Tu vas publier ta thèse puis écrire ton deuxième livre, sur Jean Mitry. Dans quelques années tu seras en bien meilleure position pour chercher un poste correspondant à ton profil et à ta culture. La Virginie n'est qu'une parenthèse, un tremplin pour la suite. Tu auras déménagé dans trois nouvelles villes en quatre ans, refait ta vie trois fois. Tu n'en peux plus. Tu es épuisé.

En mars tu retournes à Reed pour revoir tes amis. Tu retrouves même Olga, dans le café bio où vous vous étiez donné rendez-vous un an plus tôt. Elle a répondu tout de suite à ton message et insisté pour te rencontrer le jour de ton arrivée. À ta surprise, elle te déclare son amour. Tu es l'homme de sa vie : elle n'a jamais aimé que toi. Elle porte une robe décolletée moulante et tente de te séduire en se collant contre toi et en te tendant ses lèvres. Peut-être aurais-tu cédé si tu n'avais pas passé la nuit précédente à faire l'amour avec Louise : tu n'as plus beaucoup d'énergie. C'est d'ailleurs en prévision de ce rendez-vous, pour te prémunir contre Olga et contre toute tentation, que tu t'es si bien dépensé. Ton étonnement est encore plus grand de constater que tes précautions étaient inutiles. Tu ne sens plus rien devant cette femme que, deux ans plus tôt, tu aurais épousée. Tu ne comprends pas comment elle a pu tant te faire souffrir.

Ton isolement provincial était-il la première cause de ta passion, comme tu l'as lu dans mon texte et commences à le soupçonner ? Son accent qui mouille les syllabes ne te charme plus. Tu ne la trouves même plus belle. Trop maigre, les lèvres fines, le nez pointu, les pommettes aiguisées, elle ressemble à un pruneau desséché. Il est satisfaisant pour ta vanité de découvrir qu'Olga regrette si violemment votre amour, mais tu es triste devant la constatation de tout ce temps perdu et surtout stupéfait de ta métamorphose : il te fallait revenir à Reed pour découvrir que tu es un autre.

Proust, encore : « Il y a dans ce monde où tout s'use, où tout périt, une chose qui tombe en ruines, qui se détruit encore plus complètement, en laissant encore moins de vestiges que la Beauté : c'est le Chagrin. »

IV

La place du mort

Après deux mois en France, tu rentres début août à Salt Lake City. Tu as rendu ton appartement avant l'été et tu loges chez Louise. Tu as laissé chez elle tes dizaines de caisses de livres et de films que tu envoies maintenant par la poste. Tes valises partent avec toi en Virginie où elle a prévu de te rendre visite en octobre. Ses plans sont encore vagues, mais elle pense à l'ouverture d'un autre café *slow food* à Richmond, ville universitaire où elle devrait trouver la clientèle appropriée.

En faisant quelques recherches sur internet, tu as compris où il fallait vivre : dans The Fan, le quartier proche de l'université, juste à côté de Monroe Park. Tu ne conduis pas, tu ne peux pas habiter une maison à la périphérie comme la plupart des professeurs de VCU. De toute façon tu préfères le centre des villes. Ce quartier, avec ses maisons anciennes, est en quelque sorte le cœur historique de Richmond. Grâce à ton habituelle débrouillardise immobilière, tu trouves vite un appartement au deuxième étage d'une maison en bois, lumineux, plein de charme, avec deux chambres et un salon en angle qui donne sur les murs du campus. Il est un peu cher par rapport à ton salaire, mais tu veux pouvoir recevoir les amis et la famille qui viendront te rendre visite. Main Street, la rue avec les magasins dont un *liquor store* qui vend d'excellents vins français, est à trois minutes à pied.

En cette fin d'été, tu es aussi occupé qu'une abeille. Tu fais ton nid, comme trois ans plus tôt à Portland et l'an dernier à Salt Lake City. Cette fois, c'est une vraie installation. Tu es là pour rester au moins trois ou quatre ans. Tu commandes un lit avec un bon matelas. Tu récupères une table, des chaises, un vieux fauteuil, des étagères abandonnés dans la rue. Tu achètes un futon avec un cadre en bois pour te servir de canapé et de lit d'appoint, ainsi que des casiers en métal pour tous tes dossiers. Tu trouves dans un vide-greniers des ustensiles de cuisine, des lampes et un vélo qui te rend tout de suite la vie plus facile. Tu prends un abonnement d'électricité, téléphonique et internet. Tu remplis les formulaires pour l'assurance médicale et tu vas même voir un conseiller financier de l'université, car tu as appris qu'ayant plus de trente ans et occupant un poste *tenure track*, tu avais le droit de commencer à cotiser pour la retraite. Tu fais placer chaque mois trois cents dollars de ton salaire sur une assurance-vie. Ton père approuvera : tu te comportes en adulte.

Une chaleur humide dont tu avais perdu l'habitude à Portland et Salt Lake City écrase encore la ville et tu transpires à grosses gouttes dès que tu mets le nez dehors. Tu te familiarises peu à peu avec le campus, la bibliothèque, le bâtiment où se trouve la *World Studies*

School. Tu plaisantes avec la secrétaire, tu rentres dans ses bonnes grâces. Tu rencontres tes collègues dont chacun enseigne une langue différente, de l'allemand au zoulou. Le nouveau directeur du département, Phil Miller, professeur d'espagnol, a de petits yeux fuyants, une tête de moins que toi et une poignée de main molle. Tu apprends qu'il n'a jamais mis les pieds en Espagne – ni en Europe d'ailleurs, ce continent de colonisateurs. Bien sûr, il n'a pas lu Bolaño que tu viens de découvrir : il est trop occupé pour lire des romans, surtout contemporains. Vous vous connaissez depuis cinq minutes et ton opinion est faite. Tu comprends vite que sa passion consiste à planifier des réunions.

Une collègue professeur de relations internationales t'invite à dîner dans sa maison à la périphérie. Surprise que tu ne conduises pas, elle envoie son mari te chercher à dix-huit heures dans son gros SUV. Il travaille dans l'administration de l'université et ils ont deux enfants, un garçon puis une fille, comme ta sœur et toi – le choix du roi, dis-tu en leur expliquant l'expression qui les choque un peu, féminisme oblige. Ils grillent des hamburgers dans le jardin. Il fait bon, le merlot californien que tu as apporté se laisse boire, ils sont pleins de gentillesse, vous évoquez avec componction l'ouragan qui vient de dévaster La Nouvelle-Orléans. La nostalgie de ta propre vie te rend soudain silencieux. Tu as bien de la chance par rapport aux habitants de Louisiane qui ont perdu la vie, un proche, leur maison, mais que fais-tu dans ce jardin, loin de Paris, de ta famille et de tes amis, avec ces étrangers à qui tu n'as rien à dire ? Ton troisième recommencement en quatre ans. C'est la fatigue, sans doute. Tu sens qu'il sera dur de rester ici plusieurs années. Il faut que tu t'occupes de publier ta thèse le plus vite possible. Vous peinez à trouver un sujet de conversation une fois qu'ils t'ont expliqué comment fonctionnait le département. Quand tu leur demandes s'ils vont souvent passer le week-end à Washington, ils rient de bon cœur : ils n'y ont pas mis les pieds depuis dix ans ! Le mari te raccompagne à vingt heures trente alors que la nuit tombe.

Ton rempart contre la solitude, c'est l'iPod, ce petit rectangle de métal argenté sur lequel tu as déjà téléchargé des centaines de morceaux de musique. Tu serais prêt à allumer un cierge à Steve Jobs dans une église en signe de reconnaissance éternelle. Comme l'année dernière à Salt Lake City, l'iPod est ton vrai pays. Ta seule continuité. Les écouteurs sur les oreilles, tu vis avec tes compagnons de toujours : Beethoven, Bach, Rameau, Mozart, Schumann, Wagner, Miles Davis, Billie Holiday, Art Blakey, Keith Jarrett, John Coltrane, Nina Simone. Et d'autres, qui logent tous dans ce fin quadrilatère aux lignes épurées. Un fauteuil, un verre de sancerre, de saint-julien ou de château larose, le prélude de *Parsifal, I Put a Spell on You* ou *Waltz for Debby*, les notes de piano, le saxophone ou la voix qui remplissent ta tête : le temps est aboli, et ton âme s'ouvre.

Tu penses à Swann, qui trouvait dans la petite phrase de la sonate de Vinteuil la présence d'une de ces réalités invisibles et ineffables auxquelles il avait cessé de croire, et auxquelles il se sentait de nouveau le désir et la force de consacrer sa vie.

Fin août les cours commencent.

Tu la remarques dès le premier cours. Une peau très blanche, de longs cheveux roux, un ravissant visage aux traits symétriques et à la bouche rosée, un nez fin d'oiseau, un long cou, quelque chose de doux et de mystérieux dans les yeux gris-vert. Isabelle Huppert dans *La Dentellière*, mâtinée de Julianne Moore. Tu imagines un ruban de velours noir noué autour de son cou, rehaussant sa carnation pâle. Dès le premier mois c'est pour elle que tu fais cours. Pour elle que tu te lèves le matin après une nuit de mauvais sommeil. Elle éveille en toi un désir de douceur.

Elle ne comprend pas bien le français, comme tous les étudiants de Richmond. Elle n'est jamais allée en France, elle trébuche sur les mots, sur les accents, elle n'entend pas la différence phonétique entre le *u*, le *ou*, le *o*, et quand elle dit « l'amour », tu entends « la mort ». Tu la reprends. Elle répète après toi. Tu leur fais lire des extraits de *Tristan et Iseut* traduits en français moderne. Quand tu poses une question, elle n'est pas toujours la première à répondre. Elle est timide, elle veut être sûre avant de se risquer. Parfois vous échangez un sourire sur lequel il n'y a pas moyen de se méprendre.

Tu as l'idée de faire écouter à tes élèves des chansons françaises. *Ne me quitte pas, Le Déserteur, La Java des bombes atomiques, Le métèque, Il suffirait de presque rien, Avec le temps, Je t'aime… moi non plus, L'Aigle noir, Paris s'éveille.* Tu remarques sa façon d'écouter, tu perçois ce qu'elle aime, tu apprends à la connaître, tu te déclares à travers les chansons.

Tu aperçois un jour sa silhouette entre les rayons de

la bibliothèque et tu marches rapidement vers elle, le cœur battant. C'est ta chance de lui parler sans attirer l'attention curieuse des autres étudiants. Tu l'appelles à mi-voix. Elle se retourne, l'air aussi surprise que toi. Il est clair qu'il y a entre vous un lien qui n'est pas de professeur à élève, et que le silence, ou les paroles des chansons, a déjà tissé une intimité. *Je viendrai, ma douce captive, mon âme sœur, ma source vive, je viendrai boire tes vingt ans...* Vous restez face à face, frappés d'aphasie pendant quinze ou vingt secondes, avant que tu lui demandes comment va son travail et quels sont les autres cours qu'elle suit. Une question en entraîne une autre. Tu apprends qu'elle est originaire de Virginie, qu'elle a grandi dans une petite ville proche de Richmond, et qu'elle est la première de sa famille à fréquenter l'université. Elle n'est jamais allée en Europe.

Elle fait de rapides progrès en français. On la sent motivée.

Elle a dix-neuf ans et toi trente-six.

Sortir avec une étudiante est radicalement interdit à un professeur.

Elle n'a jamais voyagé, elle ne sait rien du monde. Il y a une génération et un univers entre vous.

C'est impossible.

La douceur qu'elle t'inspire, ce sentiment qui te traverse comme un éclair, qui te déchire, tu as l'impression de ne l'avoir jamais éprouvé avec aucune des femmes que tu as aimées – ni avec Elisa et Olga dont l'une était plus âgée et l'autre avait ton âge, ni même avec Ana qui était toute jeune mais te ressemblait davantage, avait une culture semblable à la tienne, des défenses, une parole acérée.

Nora, c'est la douceur incarnée. La beauté incarnée. Un cygne. Une pureté dont tu n'as jamais fait l'expérience. Tu aurais peur, en l'approchant, de la souiller. Tu la contemples à distance. Son existence te fait croire à l'âme.

Fin octobre tu examines rapidement, par acquit de conscience, la liste des offres d'emploi pour l'année suivante. Un poste de professeur assistant de littérature française du vingtième siècle à Wesleyan University attire ton attention. Wesleyan est une excellente fac de la côte est, dans le Connecticut, située exactement entre New York et Boston. Tu ne peux pas ne pas être candidat. C'est un lieu où tu vivrais parmi tes pairs, et où tu ne serais plus qu'à deux heures de train de tes amis. L'université est un peu moins cotée que Princeton, Yale ou Harvard, ce qui te donne plus de chances.

Tu envoies un dossier, et deux *writing samples*, ton tiré à part sur Proust et un nouvel article, sur Orson Welles, qui vient de paraître. Tu écris une lettre de candidature sur un papier à l'en-tête de Virginia Commonwealth University. Ton CV est là, pour prouver que tu as connu des jours meilleurs. Chacun sait que les temps sont durs. Il n'y a pas de honte à avoir du mal à trouver un bon poste.

Tu n'as pas de grandes attentes. L'expérience t'a aguerri. Et tu n'as guère envie de quitter cette jeune fille qui, à partir de décembre, ne sera plus ton élève.

Ni même de quitter Richmond. C'est une ville attachante. Du Sud, avec un ciel méditerranéen, un magnifique automne. Elle te change des villes blanches qu'étaient Portland et Salt Lake City. Ancienne pour l'Amérique, elle a une histoire : c'est là que fut voté en 1786 le règlement pour la liberté religieuse rédigé par Thomas Jefferson qui institua la séparation de l'Église et de l'État. Et c'est à Richmond qu'a grandi celui qui fut un des héros de ton enfance, le champion de tennis Arthur Ashe. De la ségrégation au sida, sa vie est comme un concentré de l'histoire des États-Unis dans la seconde moitié du vingtième siècle : toi qui as toujours été fasciné par les prouesses sportives, tu te demandes si tu n'as pas là un sujet en or, qui pourrait donner un roman formidable, qui deviendrait ensuite un film hollywoodien.

Le casque sur la tête, Nina Simone, Betty Carter ou Keith Jarrett dans les oreilles, tu sillonnes à vélo cette ville qui n'était qu'une entité abstraite quand tu y as débarqué en août et qui devient, au fil de ta dérive sur l'une et l'autre rive de la James River, un agrégat d'images, de musées, de parcs, de quartiers à l'identité bien distincte. Ici et là tu t'arrêtes, surpris par une maison ancienne qui a survécu à l'incendie de la ville par les Anglais, ou par un porche en fonte ouvragée. Au musée des Beaux-Arts tu es ému de trouver des œuvres de Poussin et de Delacroix : un petit bout de chez toi, si loin. Tu vas voir des films au Byrd Theater, au Landmark Theater, au Carpenter Center, dont tu admires les façades Art nouveau.

L'automne passe à toute allure. Solitaire, mais en musique. Il file vers le mois de décembre, vers la fin du semestre, vers le moment où tu ne seras plus le professeur de Nora.

Comme on obtient souvent ce qu'on ne désire plus, tu n'es guère surpris de recevoir un e-mail t'indiquant que le département de français de Wesleyan souhaite te rencontrer lors du congrès de la MLA.

De toute façon, tu y seras. Ton département recrute un professeur assistant d'espagnol et ton directeur, sans te demander ton avis, t'a nommé membre du comité d'embauche. L'université te paie l'hôtel – pas le meilleur – et le billet d'avion. Tu as soixante-dix dossiers à dépouiller et à sélectionner avant d'en discuter avec tes collègues en d'interminables réunions. Une activité fastidieuse, mais il est intéressant de te retrouver pour la première fois de l'autre côté de la barrière. Tu n'es d'accord en rien avec Phil Miller. Les candidats que tu préfères sont ceux dont il ne veut pas.

Quand tu viens à New York pour Thanksgiving fin novembre, tu dînes chez nous et nous parles de Nora. Tu vois notre air consterné : sortir avec une étudiante, c'est une façon certaine de ruiner ta carrière ; c'est suicidaire.

« Rien ne s'est passé. Je ne suis pas idiot. »

Juste ces regards intenses que vous vous jetez pendant les cours, cette attention réciproque, des mots que vous avez échangés avant ou après les cours – le désir mutuel que vous avez de vous parler, de vous connaître, hors du cadre scolaire.

Tu n'es même pas allé boire un café seul avec elle. Tu connais les règles. Tu la notes à la fin du semestre.

Mais l'entente entre vous a une réalité irréductible.

À partir de la mi-décembre, elle ne sera plus ton élève.

Peut-on interdire l'amour ?

N'est-il pas arrivé qu'un professeur épouse son ancienne étudiante ? N'y a-t-il pas des cas célèbres ? Doubrovsky ne s'est-il pas marié avec une de ses élèves de NYU, Ilse, celle pour qui il a écrit *Le Livre brisé* ?

Dès que les cours s'achèvent, en décembre, tu l'invites à dîner.

Tu as déniché un restaurant italien dans un quartier éloigné où tu n'as jamais croisé de professeurs.

L'amour qui a couvé tout l'automne sous les cendres du politiquement correct n'est pas long à s'embraser. Tu lui prends la main sur la table recouverte d'une nappe blanche, et vos corps sont traversés d'un frisson de désir. Tu n'es pas pressé. Cette femme, c'est la femme de ta vie. Tu en es sûr.

Vous n'avez pas même besoin de parler. Vous gardez les yeux fixés l'un sur l'autre.

Mais vous parlez aussi. Vous avez tant de choses à vous dire que vous restez des heures dans le restaurant. Quand le patron vous interrompt pour vous demander si les plats ne vous plaisent pas, vous riez et vous excusez : vous n'aviez même pas remarqué que vous étiez servis.

Tu lui parles de toi, de ta mère, des femmes que tu as aimées, des difficiles dernières années, de ce que tu as senti quand tu l'as vue pour la première fois. Elle te parle de la ferme où elle a grandi, de l'origine irlandaise de sa famille paternelle émigrée aux États-Unis pendant la grande famine, de ses frères agriculteurs comme son père, de son professeur de français au lycée et de son choix d'étudier le français, de *L'Étranger* de Camus qui a été si important pour elle, de son plaisir à apprendre une autre langue, des poèmes de Verlaine qu'elle a aimés.

Vous évoquez les chansons que tu leur as fait écouter cet automne, parfois si à propos qu'elle s'est en effet demandé si tu voulais lui délivrer un message, l'intensité de vos regards perçus par certains de ses camarades, les questions embarrassantes qu'ils lui ont posées en sortant de cours, les plaisanteries dont elle a été l'objet. Tu en es désolé pour elle. Tout ce que tu as vécu de septembre à décembre, elle l'a vécu en parallèle.

Tu te crispes quand tu apprends qu'elle a un petit ami. Un garçon de Richmond en deuxième année comme elle, dont les parents habitent dans la ville, et avec qui elle sort depuis un an.

Elle te dit tout de suite qu'elle va rompre. Il faut qu'elle clarifie la situation et qu'elle lui dise avoir rencontré quelqu'un d'autre avant que quelque chose puisse se passer entre vous. Elle le respecte trop pour le tromper. C'est un garçon bien.

Tu comprends. Tu es d'accord, même si l'idée de devoir patienter un temps indéfini te cause une douleur presque physique. Elle refuse que tu l'embrasses. Malgré sa jeunesse, elle est sage et sait que le désir est une pente où l'on ne peut s'arrêter.

Vous êtes les derniers clients. Vous quittez le restaurant à une heure et quart du matin quand vous finissez par vous apercevoir que le patron et un serveur, affalés dans un coin, attendent désespérément votre départ. Vous n'avez pas mangé plus de quelques bouchées de votre osso-buco et de vos saltimbocca pourtant délicieux.

Dans la rue tu voudrais lui prendre la main, mais c'est trop risqué. Tu la raccompagnes chez elle en taxi.

Nora tient parole. Pendant les vacances de Noël, quand tu es parti – au congrès de la MLA, puis en France –, elle parle à son petit ami. C'est plus difficile qu'elle ne s'y attendait. Il est très attaché à elle. Il pleure. Il exige de savoir qui elle a rencontré. Elle ne donne pas ton nom. Il l'assaille de coups de fil et de messages. Il veut la voir tout le temps.

Mi-janvier, juste après ton retour, la mère du garçon appelle un soir Nora sur son portable. Son fils qui vit encore chez elle n'est pas rentré la veille, et elle veut savoir s'il a dormi chez Nora. Il ne répond pas au téléphone, ce qui ne lui ressemble pas. La mère est inquiète.

Nora pense au lieu où son ami et elle se retrouvaient parfois pour fumer des joints et pour faire l'amour, un appartement inoccupé, squatté par des étudiants qui se droguent. Elle y va. C'est là qu'elle le trouve, dans la pénombre de l'appartement sale et vide, allongé par terre au milieu du salon sans meubles. L'odeur est âcre. Près de sa tête il y a une petite flaque de vomi. Quand elle essaie de le réveiller, il ne bouge pas. Elle le secoue, crie son nom, essaie de ne pas paniquer, appelle le 911.

En attendant les secours, elle pratique sur lui le bouche-à-bouche comme elle l'a appris au cours de soins d'urgence qu'elle a suivi à l'université deux ans plus tôt, en tentant de se rappeler les gestes : basculer la tête légèrement en arrière en poussant le menton pour dégager la trachée, couvrir la bouche de la sienne, aspirer, expirer, deux fois, puis appuyer les mains sur sa poitrine et presser énergiquement plusieurs fois de suite : c'est le plus difficile, car elle n'a pas beaucoup de force dans ses fins poignets. Puis recommencer la respiration. Elle continue jusqu'à l'arrivée des secours quelques minutes plus tard. Les urgentistes prennent le relais mais s'arrêtent aussitôt. Plus aucun signe vital.

Il est mort.

Quand tu l'apprends, tu pousses un hurlement d'horreur. C'est la mort d'un garçon de vingt ans et la mort de votre amour. Sans en avoir la preuve puisqu'il n'a pas laissé de lettre, Nora est convaincue que cette overdose, une semaine après la rupture, est un suicide. Son ami et elle fumaient des joints ensemble mais n'utilisaient pas de drogues dures. Il n'avait jamais exprimé le désir d'essayer.

L'appartement est transformé en scène de crime. La police de la ville ouvre une enquête. Nora est interrogée. Elle ne prononce pas ton nom. Elle va très mal. Elle est désespérée. Tu ne peux rien pour elle. Tu es la source du mal.

Votre amour est maudit, qui commence sous le signe de la mort.

Si l'on apprend qu'elle a rompu avec lui parce qu'elle t'a rencontré, vous serez tous deux désignés comme des meurtriers. Deux parias.

Vous venez de tuer un homme. La complicité dans le crime vous sépare à jamais.

Tu es informé au même moment, sans surprise, que tu n'as pas obtenu le poste de Wesleyan. Tu n'as même pas été invité sur le campus. Tu ne fais plus partie des meilleurs candidats.

Quand tu penses à ce qui t'arrive, tu as l'impression de te retrouver en plein David Lynch. *Blue Velvet, Twin Peaks, Mulholland Drive.* Une ville universitaire, une université publique, le cadavre d'un garçon de vingt ans, la drogue, la police, une ravissante étudiante, une histoire d'amour entre elle et son professeur presque deux fois plus âgé : il y a toute la matière pour un roman ou un scénario formidable.

Ce n'est pas un film. C'est ta vie.

Tu finis par sortir avec Nora au début du printemps. C'est inévitable même si c'est impossible.

Vous vous rencontrez par hasard à la projection des *Amants réguliers* au festival du cinéma français dans la belle salle du Byrd Theater à la fin du mois de mars. Tu es trop ému pour savoir ce que tu penses de ce film, qui raconte une histoire d'amour et se passe à Paris. Elle est venue seule ; toi aussi. Vous repartez ensemble dans sa voiture. Elle te raccompagne chez toi. Tu ne lui proposes pas de monter. Vous vous quittez devant ton immeuble.

Trois jours plus tard vous allez voir ensemble *Mar adentro* d'Alejandro Amenabar. C'est l'histoire d'un homme paralysé des pieds à la tête à la suite d'un accident à vingt ans qui tente de convaincre une amie de l'aider à mourir. Tu prends peur quand tu t'aperçois que le film porte sur la mort, le suicide et l'euthanasie. Mais loin de vous glacer, il vous apaise. Il rend familier et compréhensible le désir de mort. Il en ôte l'horreur. Après la séance Nora vient chez toi pour la première fois.

Ton attente et ta peur de la décevoir étaient si grandes,

ton émotion si forte, que tu craignais que ton corps ne te joue un tour. Il n'en est rien. La vision sur ton lit de son corps long et gracile comme un Modigliani, la sensation de sa tête blottie contre ta clavicule te gonflent de sève et de vie. Tu as vingt ans. Même si ce qui existe entre vous est bien au-delà du plaisir physique, tes doigts la font vibrer avec délicatesse comme une harpe ou un clavecin. Elle s'endort entre tes bras. Avec un temps de retard, ton cerveau finit par accepter le miracle : Nora est chez toi, sur ton lit, contre toi. Tu n'as jamais senti une telle joie. Tu la regardes dormir et te rappelles ce passage de *La Prisonnière* où Proust compare le sommeil de l'aimée à une nuit de pleine lune où, étendu sur le sable, on écoute sans fin se briser le reflux. Le spectacle de sa blancheur et de sa longue chevelure rousse réveille ton désir.

Vous vous rencontrez en cachette, chez toi. Ce qui vous sépare vous lie aussi. Il n'y a personne d'autre qui sache la vérité et comprenne si bien sa douleur, personne à qui elle puisse parler d'elle et tout dire. Elle va très mal. Tu lui sers de psychanalyste. Tu lui tends la main pour, de toutes tes forces, la tirer vers la vie et vers toi.

Malgré la mort, malgré le deuil, vous êtes follement amoureux l'un de l'autre. Ou à cause de ? « Les "quoique" sont toujours des "parce que" méconnus », écrit, dans *À l'ombre des jeunes filles en fleurs*, celui qui a tout compris, tout pensé, tout dit.

La perfection de son corps est à l'image de celle de son visage. Un corps de vierge raphaélique aux proportions parfaites. La *Vénus* de Cranach. De toutes les

femmes que tu as aimées d'amour ou juste charnelle-
ment, c'est la plus belle. Ses attaches sont si fines que
tu crains qu'elles se brisent. Même ses coudes ont une
grâce. La cambrure de son dos, la rondeur de ses fesses
forment une courbe idéale. Quand elle ferme les yeux
sous tes caresses, tu l'effleures avec le sentiment de toucher un vase sacré.

Elle est tendre, angélique, aimante, sensuelle – et le
lendemain en retrait, silencieuse, absente, sans désir,
dure. Elle te quitte sans un mot d'explication. Tu ne sais
jamais si c'est un caprice dû à sa jeunesse ou le deuil.
Elle ne répond plus au téléphone. Son silence dure
deux, trois, quatre jours. Tu ignores si tu vas la revoir.
Tu paniques. Ton inquiétude pour elle justifie que tu
frappes à sa porte. Elle t'ouvre. Il est clair qu'elle a
pleuré et qu'elle ne va pas bien. Parfois elle tombe dans
tes bras, parfois elle te demande de partir. Tu t'efforces
de ne pas l'accabler de reproches. Avec les trois femmes
que tu as aimées avant elle, tu as fait l'expérience des
effets désastreux de ta colère et de ton impatience. Cette
fois, ce n'est pas de toi qu'il s'agit. La compassion pour
son chagrin te permet d'oublier ta propre souffrance.

Un soir d'avril, elle amène au ciné-club français que tu
as créé à la *World Studies School* une femme plus âgée
qu'elle te présente. Tu as un mouvement de recul quand
tu apprends que c'est la mère du garçon mort. Evelyn.
Que dit-on à une femme qui a perdu son fils ? Elle a dix
ans de plus que toi mais en paraît vingt, trente de plus.
Une vieille femme minée par la douleur. Elle aime le
cinéma. Chaque semaine, dorénavant, elle viendra à ton
ciné-club. Tu programmes les films en pensant à elle.

Tu essaies de les choisir drôles ou prenants. Tu évites ceux où l'on voit une mère et son enfant. Impossible de montrer *Lantana* que tu as vu deux fois à New York avec moi, et tant aimé. Tu renonces à passer *La vie est belle* de Roberto Benigni. *Rabbi Jacob* ou Charlie Chaplin : le rire d'Evelyn résonne dans la petite salle. Vous dînez tous les trois ensemble après la projection dans un petit restaurant italien ou thaï. Nora t'a présenté comme son professeur. Evelyn sait que vous êtes amis, rien de plus. En sa présence, vous ne vous touchez pas la main. Tu as pour cette femme de la vénération. Elle a perdu son fils unique et elle survit. Après deux mois, elle a repris le travail à l'hôpital où elle est infirmière au service des prématurés.

Evelyn est contente de te retrouver chaque mardi, heureuse que tu distraies Nora. Tu réussis à la faire rire avec tes jeux de mots. Elle vous invite à dîner, elle te présente son époux qui n'est pas le père de son fils : son premier mari est décédé dans un accident de voiture il y a longtemps. Deux fois frappée par la mort dans ceux qui sont les plus proches d'elle. Tu ne peux même pas imaginer sa douleur. Cette femme est une sainte. Tu lui parles de ta mère. Son univers est aux antipodes du tien, elle ignore tout d'où tu viens, mais personne ne t'écoute mieux qu'elle. Tu aimes sa maison confortable, ses gros fauteuils à oreillettes, ses macaronis au fromage et ses hamburgers grillés au barbecue, son porche et son siège à bascule idéal pour fumer des cigarillos en contemplant les magnolias en fleur qui te rappellent Billie Holiday, sa gentillesse, son accent nasal. Tous les week-ends ou presque Nora et toi allez chez elle. Par rapport à ton appartement qui donne sur le mur du campus, c'est la campagne. Le vert t'apaise. Tu deviens le fils de la maison. Tu prends la place du mort.

Quand tu invites Nora à venir en France pendant l'été, elle accepte. Ce sera son premier voyage en Europe. Elle s'enthousiasme comme une petite fille à l'idée de voir pour de vrai la tour Eiffel, Notre-Dame, Versailles, une France de carte postale qui te fait sourire. Evelyn pense que c'est un merveilleux projet, que la petite a besoin de se changer les idées. Le soir où tu lui offres son billet, son sourire est si plein de reconnaissance et de joie que cet amour semble possible. Début juin tu t'envoles pour Paris, où elle te rejoindra dans un mois. Tu organises son séjour. Avant son arrivée tu fais réparer le robinet qui fuit, tu changes le rideau moisi de la baignoire, tu laves les draps, tu achètes de nouvelles serviettes. Tu souhaites lui montrer ta France. Elle va faire la connaissance de tes amis, de ta sœur et de ses enfants, et revoir ton père qu'elle a rencontré quand il est venu te rendre visite avec sa nouvelle femme à Richmond en avril. Un bon bougre, ton père. Ces dernières années tu t'es rapproché de lui. Vous parlez davantage. Il est loyal, affectueux. C'est un bel homme pour ses soixante-dix ans. Tu as remarqué qu'il plaisait aux femmes – et que, comme toi, il les aimait bien. Tu lui as pardonné d'avoir quitté ta mère. Tu le comprends mieux.

Un matin tu mets ton réveil pour aller la chercher à Roissy. Quand tu la vois sortir de la zone des bagages, pâle, avec sa longue chevelure rousse, l'amour gonfle ta poitrine. Elle aussi semble heureuse de te retrouver. Tu lui as manqué. Vous vous embrassez longuement. Tu la ramènes chez toi.

Tu l'as prévenue que l'appartement était très petit et le quartier vivant. La vue depuis ta terrasse l'impressionne. Le bruit provenant de l'appartement voisin où s'entassent dans deux pièces sept ou huit personnes jouant du tambour ne la dérange pas, ni les disputes violentes dans l'appartement du dessus, à la porte duquel tu as frappé une nuit où les cris t'écorchaient les oreilles, mais où tu ne te risques plus depuis que le mari t'a pourchassé dans le couloir avec un couteau et que la femme t'a hurlé de les laisser tranquilles en t'insultant copieusement. Le Paris qu'elle découvre correspond à ses rêves. Tu n'en reviens pas qu'elle soit là. Vous grimpez main dans la main les rues pavées de Montmartre, tu lui montres les jardins, les vignes, la maison de Dalida, le Bateau-Lavoir, vous vous asseyez sur les marches devant le Sacré-Cœur, entourés de guitaristes qui chantent les Beatles, en contemplant la ville à vos pieds et en vous embrassant comme de parfaits amoureux, vous vous baladez le soir sur les quais de la Seine, vous achetez une glace chez Berthillon, vous remontez à pied vers la rue Léon au cœur de la nuit en passant par la longue rue des Martyrs qui mérite son nom. Vous dînez chez ton père dans le Marais, chez ta sœur à Vincennes, chez moi dans mon appartement de Montmartre de l'autre côté de la colline. Vous recevez chez vous. Vous faites les courses ensemble au Kankan Koula, vous achetez de la viande à la boucherie africaine. Nora cuisine, heureuse de jouer à la Parisienne. Douce domesticité. L'espace d'une semaine, tu rêves d'une vie où vous habiteriez Paris.

Elle s'est à peine remise du décalage horaire que tu l'emmènes dans le Sud-Ouest, chez Sébastien. Tu as brisé le rituel établi depuis dix ans en demandant à tes amis l'autorisation exceptionnelle d'inviter une femme. Vos séjours là-bas sont des bulles d'amitié masculine. Ni Zeb, ni le Bô, ni le Wolf, ni le Panda quand il se joint à vous n'y ont jamais emmené leur femme ou leur petite amie. Tu souhaites lui montrer cette région aux châteaux de pierre jaune et à la lumière dorée. Tu veux l'emmener visiter la cathédrale romane de Bazas, se baigner au cap Ferret, goûter le sauternes Clos Haut Peyraguey chez ce producteur devenu un ami qui joue aussi du jazz. Tu veux que son voyage en France soit une apothéose des sens.

Elle apprécie le vin, les plats, les paysages, mais ne comprend pas suffisamment le français pour suivre vos conversations. Vous oubliez souvent de lui traduire vos paroles. Les rires et les mots fusent trop vite, et votre langage est codé, vos plaisanteries ritualisées par des années d'amitié. Nora ne comprend pas ce qui est drôle : votre euphorie l'exclue. Comment lui expliquer pourquoi tes amis pouffent quand tu dis : « Vous connaissez la dernière des humos ? » Comment lui dire que ce pluriel, « les humos », désigne une seule personne, un ami philosophe aux bras poilus que tu as autrefois baptisé Wilfred the Hairy – le surnom du comte de Barcelone qui a aidé le roi franc Charles le Chauve à combattre les Normands au neuvième siècle –, que Wilfred est devenu Wilf, puis, parce que ça sonnait mieux, le Wilfon, et que ce nom t'a rappelé deux humoristes des années quatre-vingt, Philippe Val et Patrick Font, qui avaient créé le duo

Val Font, tu saisis ? Wil fon, Val Font, donc les humoristes, les humos ! Impossible de fournir cette explication même si ton Bô pédagogue et attentif à l'autre s'y essaie, car l'évocation de Charles le Chauve a déclenché une nouvelle crise de fou rire et vous vous effondrez tous les quatre, pliés en deux, tandis que la pauvre Nora vous regarde comme si vous étiez fous, avec, sur les lèvres, un sourire effaré qui redouble votre hilarité.

Vous ne prêtez plus attention à elle. Des soirées entières sans que personne remarque sa présence. Même pas toi qui ne cesses de plaisanter, bien éméché, et qui n'es pas pressé d'aller te mettre au lit où elle te tourne le dos. Car elle a changé. Elle s'agace dès que tu l'enlaces. Elle ne veut pas que tu l'embrasses devant tes amis. Elle te repousse même la nuit. Elle te dit non, sans une explication. Plus tu insistes et plus elle te rejette. Glaciale. On dirait que ton désir la dégoûte. Tu te relèves, tu vas te servir un whisky, tu erres comme une ombre dans la maison obscure, tu mets de la musique dans le salon ; une nuit la souffrance est si forte que tu réveilles Christophe pour lui poser des heures durant la même question : t'aime-t-elle ?

Tu sens que tes amis n'y croient pas. Thomas et sa bimbo de Virginie. Si jeune. Silencieuse, rougissante, intimidée par ce monde dont elle ne comprend ni la langue ni les codes. À travers leurs réticences tu entends ce qu'ils pensent. La différence entre vous est simplement trop grande. Nora est une gamine, fascinée par ton expérience, ta nationalité, ton titre de professeur. Ça ne peut pas durer. Tu vas te fatiguer d'elle. Pour être en couple avec elle, il faut qu'en Virginie tu te sentes aussi seul qu'elle doit l'être en France.

Tu l'emmènes dans la Creuse. Vous prenez le train gare d'Austerlitz et, après deux changements et cinq heures de voyage, vous arrivez à Guéret où Alain vient vous chercher. Vous êtes accueillis dans le jardin par Véronique et ses deux bébés, ses petits Ripolix comme tu les appelles. C'est un village typiquement français au cœur de la France profonde, les fenêtres de la vieille maison de pierre couverte de lierre donnent sur de doux vallons verts, le grand jardin est plein de pommiers et d'autres arbres fruitiers. Le paradis sur terre. Tu connais Véronique et Alain depuis peu. Tu n'as pas avec eux la complicité qui te lie à tes meilleurs amis, même si Véronique et toi avez votre propre code, que personne ne peut utiliser trois adjectifs de suite sans que vous pensiez à la marquise de Cambremer, et qu'elle est la seule à comprendre l'allusion quand tu dis, au premier rayon de soleil qui perce les nuages après la pluie : « Mon petit bonhomme barométrique est content. » Au moins vous n'êtes pas entre hommes. Les Ripoli ont deux petits enfants et les horaires d'une famille. Vous mangez à la maison avec les bébés, vous allez vous baigner dans des lacs, c'est un rythme de vie familial et paisible. Dans le grenier où vous dormez, Nora se détend et la tendresse renaît.

Après la Creuse, Houlgate, avec ta sœur et ses enfants. Une autre région de France. Une mer plus fraîche. Les plateaux de fruits de mer qui rendent Nora malade. Le vent. Un petit bout de ton enfance. Elle est souriante et lisse mais tu la sens lointaine. Peut-être fatiguée de tant de déplacements et tant de découvertes, elle qui n'avait jamais quitté la Virginie. Oui, sans doute épuisée, *overwhelmed* comme on dit en anglais, sensoriellement surchargée, ayant atteint ses limites. Quand vous rentrez à Paris quelques jours avant que Nora reparte aux États-Unis, c'est ton tour d'être stressé. Tu n'as rien fait pendant ces trois semaines, même si tu as traîné partout une valise pleine de livres, d'articles et de papiers. Ton université t'a octroyé une bourse de recherches afin d'écrire un texte sur Jean Mitry que tu as promis à tes amis pour leur deuxième volume et dont tu n'as pas composé la première phrase. Tu as ta conférence sur Proust à préparer pour le symposium au bord du lac de Côme début septembre. Ou peut-être est-ce juste l'angoisse de votre séparation. Tu es impatient, tu t'énerves facilement, tu la traites d'idiote parce qu'elle a posé sa tasse sur un livre qui ne t'appartient pas et laissé une marque, tu cries, tu lui fais peur. Nora reste absente sous tes caresses. Tu te demandes parfois si elle est venue pour toi ou pour voir la France. Aux reproches que tu lui adresses – comme si elle te devait quelque chose après tout ce que tu as dépensé pour elle – elle riposte qu'en France tu n'es pas le même, que tu n'es pas gentil, que tu ne fais plus attention à elle. Son injustice t'indigne, quand tu t'es démené pour lui organiser le meilleur séjour. Comment peut-elle rejeter sur toi la responsabilité de sa froideur ? Elle est vraiment trop jeune. Injuste, capricieuse. Vous vous disputez dans une surenchère de paroles blessantes. Au lit, elle refuse que tu la touches. Elle n'a plus qu'une envie : rentrer chez elle. Elle te dit qu'elle ne t'aime pas, ne t'a jamais aimé. C'est un désastre. Tu la raccompagnes à l'aéroport après une nuit blanche sur le canapé du salon. Vous vous quittez en silence. Au cours des deux semaines suivant son retour, elle ne t'envoie pas un message. Tu n'écris pas non plus. Tu ne comprends pas ce qui s'est passé.

Quand tu retournes en Virginie mi-août, elle ne cherche pas à te joindre. Tu ne l'appelles pas. Tu ne peux marcher sur le campus sans apercevoir au loin sa silhouette longiligne et ses cheveux roux. Ton cœur accélère ses battements, tu t'approches, tu prépares une phrase, ce n'est pas elle.

Deux semaines plus tard tu t'envoles pour l'Europe à nouveau, pour ce colloque sur Proust en Italie. Il est impossible d'imaginer un plus beau cadre. C'est le mois de septembre, il fait beau, vous vous baignez tous les jours dans le lac de Côme, où Véronique te filme en train de lire un extrait de *Sodome et Gomorrhe* sur le baron de Charlus, ton personnage préféré. Vous êtes en petit comité : l'organisatrice anglaise qui t'a contacté après avoir lu ton article sur *Le Temps retrouvé* de Raoul Ruiz, Véronique que tu as réussi à faire inviter, trois artistes et quatre universitaires venus de pays différents, dont un professeur d'Oxford en train de finir un livre sur la notion de classique, un homme charmant et supérieurement intelligent en qui tu sens un nouvel appui pour l'avenir. Vous formez comme un club, vous ne vous quittez pas pendant six jours, et les idées fusent avec tant de richesse que vous avez le sentiment de créer un événement, vous désolant, le dernier jour, de ne pas avoir pensé à vous enregistrer. Ton esprit n'est pas le moins remarqué au cours des longues discussions qui se poursuivent pendant les repas bien arrosés au bord du lac sous les étoiles. L'intelligence coule à flots comme le vin et tu te rappelles enfin pourquoi tu as choisi ce monde de l'esprit et du savoir, tu retrouves le sens de ta voie.

Au retour de Bellagio tu n'as aucun doute : il faut sortir de Richmond le plus vite possible. Tu y étouffes. C'est l'Amérique profonde, cette Amérique convaincue de la sainteté de la croisade irakienne, de la légitimité du Patriot Act et des vertus de la torture au camp de Guantánamo. Sans Nora qui n'a toujours pas donné signe de vie, plus rien ne te retient ici. Vous n'avez pas rompu officiellement, mais tu sais que c'est fini. Elle te fait trop souffrir, elle est trop jeune, il y a la mort entre vous, c'est un amour impossible. Tu n'as pas d'ami à Richmond en dehors d'Evelyn. Tu détestes ton patron à l'esprit étroit, envieux, mesquin, administratif. Tes élèves sont médiocres, et tes collègues aussi. C'est le contraire de l'ouverture que tu as ressentie à Bellagio, de la vie de l'esprit telle qu'elle devrait être vécue.

En décembre tu pourras t'enfuir, car tu as réussi à obtenir au second semestre un congé sabbatique pour finir ton livre. Mais ton retour l'automne suivant te semble déjà un cauchemar. Une des participantes américaines de Bellagio t'a parlé d'une bourse octroyée par le National Humanities Center de Caroline du Nord : elle pense que tu serais le candidat idéal. Cette bourse te libérerait de la nécessité d'enseigner pendant un an et tu pourrais librement circuler entre la Caroline du Nord, New York et Paris. De retour à Richmond, tu télécharges le dossier de candidature, tu rédiges ton projet, tu écris à ton directeur de thèse et à un professeur de cinéma connu pour leur demander des recommandations, et tu envoies le tout avant la date limite en octobre.

Quand tu t'es intéressé à Jean Mitry trois ans plus tôt, tu as compris sur quelle mine d'or tu étais tombé. Grâce à ce travail, tu vas devenir un pionnier et une référence : Thomas Bulot, vous savez, qui a redécouvert Mitry et expliqué comment on était passé de la sémiotique du cinéma de Metz à la pensée de Deleuze. Qui, aujourd'hui, dans le monde universitaire, peut se targuer de telles découvertes ? Sans compter cette chance extraordinaire que tu as eue : à un dîner à Paris l'an dernier, ton voisin de table connaissait la veuve de Mitry et a proposé de te la présenter ! Tu l'as rencontrée, tu l'as charmée, tu as obtenu l'accès aux précieuses archives privées. Les ayants droit décident du sort des œuvres de leurs parents. Cette fois, tu n'as pas commis d'erreur : la veuve souhaite que tu sois celui qui écrive le livre.

Comme tous les ans depuis cinq ans, tu regardes aussi la liste des offres d'emploi publiée en octobre. Coup de théâtre : le département de français de New York University recherche un spécialiste en cinéma ! C'est le poste que tu attends depuis des années.

Tu es le candidat idéal. Ta thèse ne porte pas sur le cinéma français mais ton deuxième livre, oui, et tu viens justement de rédiger le projet qui le décrit. Pour cette monographie qui comble un oubli dans l'histoire des études de cinéma, tu n'auras aucun mal à trouver un éditeur en France et aux États-Unis. Tu as trois articles publiés sur le cinéma : sur Raoul Ruiz, Orson Welles et Jean Mitry. Depuis quatre ans tu donnes chaque année un cours de cinéma. À la *World Studies School* de Richmond, tu as créé au printemps une unité de cinéma. Et un ciné-club. Il y a certainement peu de personnes aux États-Unis aussi qualifiées que toi. Enfin, tu as un ami dans la place, un vrai soutien : Benoît. Il connaît ton intelligence. Il t'estime. Lui qui est un grand ponte, très occupé, il te répond dès que tu lui envoies un message, et passe deux ou trois heures à discuter en buvant plusieurs verres avec toi lors de tes passages à New York. Chaque fois il t'invite, même depuis que tu es devenu professeur. Tu es étonné qu'il ne t'ait pas écrit pour te signaler l'ouverture de ce poste, mais il doit estimer, à raison, que c'est à toi de te renseigner.

Si tu obtiens les deux, le poste à New York et la bourse en Caroline du Nord, que feras-tu ? Une année de liberté est trop tentante pour y renoncer. NYU acceptera certainement que tu retardes d'un an le début de tes cours. Ce genre de bourse est un honneur qui rejaillit sur l'université dont les membres sont récompensés.

À l'idée de pouvoir retourner vivre à New York, tu te sens comme un homme qui voit une oasis après la traversée du désert ou un exilé qui foule sa terre natale après des années. Tu es, depuis quatre ans, exilé de toi-même.

Un poste à NYU présente un autre immense avantage : alors que les loyers de Manhattan à l'ère Bloomberg sont devenus inaccessibles aux universitaires, NYU loge ses professeurs dans des tours que l'on appelle Washington Village, entre Bleecker et la 3ᵉ Rue, LaGuardia Place et Mercer Street, tout près du cinéma Angelika d'un côté et du cinéma IFC de l'autre, où passent les films étrangers. Ces barres d'immeubles de quinze étages n'ont rien à envier aux HLM de banlieue, mais elles se trouvent au cœur de Greenwich Village, ton quartier préféré, et la vue y est magnifique. Tu contempleras, de ta fenêtre, le soleil qui rougit les toits du Village ou se couche sur l'Hudson. Tu sortiras de chez toi à minuit pour écouter du jazz au Tonic, au Smalls ou au Vanguard. Tu verras tous les films que tu veux. Tu marcheras dans la ville à toute heure du jour et de la nuit. Tu retrouveras tes amis. Tu seras mon voisin et celui de Benoît. Son collègue.

La force de ton désir te fait peur.

Ne pas vendre la peau de l'ours. Mais cette fois, tu as vraiment tes chances. Tu te rappelles l'enfant de Richmond, Arthur Ashe : battu neuf fois de suite à Wimbledon par Jimmy Connors, il a fini par remporter le titre en 1975. Toi, ce n'est finalement que la cinquième année que tu envoies une candidature. Le monde appartient à ceux qui persévèrent.

Tu écris, dans un anglais parfait, une de ces lettres dont, au fil des années, tu es devenu un expert :

Chers Professeur M. et membres du comité de recherche :

Je souhaiterais présenter ma candidature pour le poste de professeur assistant en cinéma français. Après avoir obtenu mon doctorat à Columbia University en 2002, j'ai enseigné comme lecteur à Reed College et à l'université d'Utah, avant de rejoindre Virginia Commonwealth University (VCU) comme professeur assistant de français et de cinéma en 2005.

De par mon éducation française, j'ai des bases solides en littérature et cinéma français du vingtième siècle, avec un intérêt particulier pour la théorie du cinéma. En dehors des cours généraux portant sur le cinéma français et francophone, mes intérêts pédagogiques sont larges et comprennent, entre autres, la représentation cinématographique du couple, le film et la culture à l'âge digital, et des cinéastes tels que Jean Renoir, Sembène Ousmane ou Agnès Varda.

Mon premier livre, *Proust et la déprogrammation des classiques : esthétique et politique de la littérature*, est basé sur ma thèse, qui examine la signification esthétique et politique de la lecture que fait Proust des textes du dix-septième siècle et l'oppose à l'exploitation idéologique des textes classiques par les nationalistes français au tournant du vingtième siècle. Le manuscrit sera achevé d'ici l'été prochain grâce à un congé de recherches que j'ai obtenu pour le printemps 2007.

Je travaille également sur un second projet de livre...

Ta lettre est longue. Deux pages entières à simple interligne qui décrivent en détail, après le manuscrit sur Proust, ton projet de livre sur Jean Mitry, les cours de cinéma que tu as donnés, et tes responsabilités administratives.

C'est une lettre professionnellement parfaite, que tu as écrite en pesant chaque mot. La personne à qui tu l'adresses est la directrice du département de français, non seulement la collègue mais aussi une amie personnelle de Benoît, ton ami.

Quand, le 22 décembre, tu n'as toujours pas reçu d'appel de New York University pour fixer l'heure d'un entretien au congrès de la MLA, tu es certain d'une erreur. Tu composes le numéro du département. La secrétaire promet aimablement de transmettre ton message. À ton second appel, elle est plus évasive. Tu demandes à parler à la directrice. Elle te répond avec gêne qu'elle n'est pas dans son bureau. Tu écris à Benoît. Silence radio.

L'an dernier tu as obtenu un entretien de Wesleyan au simple vu de ton dossier alors que la description du poste ne correspondait pas à ta spécialisation. Comment peut-on ne pas te considérer comme un candidat sérieux à NYU, quand il s'agit de ton domaine de recherches et que tu as à la fois les diplômes, l'expérience, l'accréditation, le futur livre ? Un entretien, ce n'est pas l'octroi du poste !

Ça n'a aucun sens.

Depuis quatre ans tu as pris l'habitude du rejet. Là, c'est une nouvelle sorte d'affront. Un abandon par un ami. Une trahison. Un coup personnel dirigé contre toi.

Inutile d'exiger des comptes. Tu as passé des heures à boire des verres avec Benoît, à rire, à discuter avec lui de littérature, de théorie et de femmes. Il ne te doit rien. Personne ne te doit rien.

V

La mer gelée en nous

Arrivé mi-décembre, tu es à Paris jusqu'à mi-août prochain. Huit mois de suite. C'est la première fois depuis
quinze ans que tu passes autant de temps en France.
Chez toi, dans ton appartement. Tu l'as attendu, ce congé.
Tu as eu de la chance de l'obtenir dès ta deuxième
année à Richmond. Le directeur de ton département
s'est sûrement démené pour ne pas te faire ce cadeau,
mais le doyen des humanités, un homme sympathique
et paternel que tu as conquis en discutant avec lui de
football américain, sa passion, et avec qui tu as vu le
Super Bowl en buvant des bières, t'a soutenu. Il a compris combien, après avoir passé des années à chercher
un poste, enseigné dans trois universités et déménagé
dans trois villes en quatre ans aux deux extrémités des
États-Unis, tu avais besoin de ce temps précieux. Besoin
d'une parenthèse, d'un arrêt. L'an prochain aura lieu
ton évaluation de troisième année. Ce n'est qu'une
formalité, mais il serait bien de pouvoir remettre le
manuscrit achevé.
Plus de cours à donner, plus d'étudiants, plus de

copies à corriger. Tu vas te concentrer et écrire le livre. C'est le tremplin qui va te permettre de reprendre le contrôle de ta vie.

Tu as fait venir de Virginie, par bateau pour payer moins cher, plusieurs caisses de livres dont tu auras besoin. Tes volumes de Proust abondamment annotés depuis dix ans, les œuvres de Maurras, de Léon Daudet et d'autres, les livres de ton directeur de thèse et des tonnes d'essais critiques déjà lus et cornés. Ils t'ont été livrés au cours du mois de janvier. Tu as installé ton bureau face à la porte-fenêtre. Tu y as posé ta thèse, soulignée et remplie de post-it jaune fluo où tu as griffonné quelques notes. Il ne te reste plus qu'à t'y mettre.

En ouvrant ta boîte mail un matin de février tu vois, parmi la liste des expéditeurs, le nom du directeur du National Humanities Center de Caroline du Nord. Tu cliques dessus fébrilement.

Le premier mot qui te saute aux yeux : « *Sorry.* »

Il est *sorry* de t'annoncer que, parmi une multitude d'excellentes candidatures, la tienne n'a pas été retenue malgré l'intérêt certain de ton projet.

Pas d'explication.

Tu avales ta salive. Tu relis l'e-mail de trois lignes qui met fin à ton espoir d'une année de liberté loin du cauchemar de Richmond. Ce National Humanities Center de l'Amérique profonde ne veut pas de toi, de ton idée géniale dont tu as démontré l'importance objective ? Tu imagines les projets médiocres qui l'ont emporté sur le tien. Comment est-ce possible ? Est-ce la force de ton désir qui te condamne à perdre ?

Tu vas leur montrer. Bourse ou pas, tu vas y arriver. Publier ta thèse. Écrire le livre sur Mitry.

Le seul problème, c'est que tu n'as jamais senti un tel épuisement.

Tu ne peux même pas sortir de ton lit. Ton corps est douloureux comme s'il était passé sous les roues d'un camion. Tu bouges à grand-peine tes membres. Tu dors, tu passes des heures à dormir, et tu ne parviens pas à te lever le matin même en mettant ton réveil, complètement abruti par ces heures et ces heures de profond sommeil. Tu passes tes journées allongé à fumer, boire, rêver, ne rien faire ou, comme dirait Nicolas qui se prétend expert du rien mais a déjà publié trois livres, « inécrire ». Tu ne regardes même pas le ciel de Paris et le gros mamelon derrière ta baie vitrée. Tu as tiré le rideau. La tringle est branlante et menace de tomber, comme les carreaux de la salle de bains que gagne la moisissure et dont l'un s'est même décollé du mur. La peinture des fenêtres s'écaille. Elles ne sont pas étanches et tes locataires s'en sont plaints à juste titre : l'air froid et humide de l'hiver parisien rentre par les interstices. Il faudrait les changer. Il faudrait réparer tout ce qui se détériore dans l'appartement qui n'était guère en bon état quand tu l'as acheté, appeler un plombier, un menuisier, un peintre. Tu n'en as pas les moyens. Tu as si peu d'argent en ce nouvel hiver, tant de dettes sur ta carte de crédit après les dépenses de l'été, que tu as dû contracter une nouvelle hypothèque. Sous la couette il fait chaud. Près de ton oreiller repose l'objet essentiel, l'iPod. Au pied de ton lit, la bouteille. Quand tu retires les écouteurs, tu entends derrière la vitre le triste chant de la pluie. C'est un hiver en harmonie avec ton humeur.

Tu ne contactes pas tes amis. Tu n'as envie de voir personne. Tu ne réponds pas au téléphone, sauf quand tu vois s'inscrire sur le portable les numéros de ta sœur ou de ton père qui ont déjà laissé plusieurs messages et dont tu sens monter l'inquiétude. À midi ils s'étonnent de ta voix caverneuse. « Je te réveille ? — Pas du tout. Je suis en plein travail. — Ah, excuse-moi. Je ne voulais pas te déranger. » Quand on travaille il est normal de s'enfermer, de s'enterrer, de vivre en ermite. Toi qui as une telle tendance à t'éparpiller, il est bon que tu aies enfin compris l'urgence. Au bout d'un moment l'excuse se nourrit elle-même : Thomas travaille.

Ni vu ni connu, tu disparais des radars. Sébastien vit toujours à New York ; Matthieu fait des reportages culinaires en Italie ; Christophe est là, mais, entre le lycée et ses jeunes enfants, il ne s'aperçoit pas que deux mois ont passé depuis que vous vous êtes vus. Reste à tromper ton père et ta sœur. De temps en temps il faut dîner ou déjeuner chez l'un ou l'autre avec ton neveu et ta nièce chéris qui te réclament. Tu te douches, te rases, t'habilles, chaque geste est si épuisant que tu dois en envoyer la commande à ton cerveau à l'avance. Tu les interroges pour ne pas avoir à parler, ou dévies la conversation sur Ségolène, Sarkozy, les élections qui auront lieu en mai, et dont tu te moques. Pendant deux heures, tu fais semblant. Toi qui, au lycée, savais si bien dormir les yeux grands ouverts, arrives à mettre sur le compte de ta concentration ton air absent, tes distractions. Quand tu te sens trop mal, à la dernière minute tu prétextes un gros rhume avec de la fièvre : pas grand-chose mais, par ce froid humide, mieux vaut que tu restes au lit, d'autant plus que tu risques de passer ta grippe aux enfants. Ta sœur n'insiste pas, même si tu sens qu'elle n'est pas dupe.

Tu n'écris pas un mot. Tu en es incapable. Tu ne fais rien, strictement rien. Le manuscrit de ta thèse a migré sur ton lit. Parfois tu en lis une phrase. Du jargon universitaire. Où est passé ce Proust que tu aimais tant ? Même lui te paraît abscons. Tu ouvres *Le Temps retrouvé*, ton volume préféré : « Peut-être pourtant ce côté mensonger, ce faux-jour n'existe-t-il dans les mémoires que quand ils sont trop récents, quand les réputations s'anéantissent si vite, aussi bien intellectuelles que mondaines (car si l'érudition essaye ensuite de réagir contre cet ensevelissement, parvient-elle à détruire un sur mille de ces oublis qui vont s'entassant ?) » Qui a encore la patience aujourd'hui pour ces phrases à parenthèses précieuses comme des boudoirs remplis de petites boîtes laquées, de cadres en argent ciselé et de bibelots de porcelaine ? Et pourquoi s'intéresser à Proust ? Ta thèse a beau le distinguer de ses amis antisémites et nationalistes Maurras et Barrès, tu n'en es plus si sûr. N'y a-t-il pas quelque chose de dégoûtant dans sa fascination pour la grâce si française de Saint-Loup, qu'il oppose à la grossièreté et au nez juif de Bloch ? Comment se fait-il qu'aucune voix ne se soit élevée pour faire tomber l'idole de son piédestal ?

Tu te sentais pourtant si proche de Proust – de la personne autant que de l'œuvre. Si des centaines de pages de la *Recherche* se passent à décrire des dîners, c'est en raison du temps que Proust y a consacré. L'un comme l'autre, vous êtes invités partout parce qu'il n'y a pas de convive plus intelligent, érudit, attentif, original et drôle : on ne s'ennuie jamais avec vous. Vous connaissez tous deux la maladie, pour Proust l'asthme, les étouffements, l'angoisse, pour toi la nécrose des hanches et la dépression, et c'est la maladie qui a créé ce rapport spécial à la mère dont elle n'est peut-être que le symptôme, symptôme du manque jamais comblé et du besoin infini de l'autre. D'ailleurs vous vous ressemblez même par vos mères : certes, Jeanne Weil issue de la grande bourgeoisie est à l'autre bout du spectre social par rapport à ta mère fille de concierge, mais, juive dans une France catholique et antidreyfusarde qui se méfiait des « Israélites », elle a dû avoir, comme la tienne, le sentiment de sa différence et le désir d'être parfaitement intégrée – par son fils, fleuron de l'éducation, des bonnes manières et de l'esprit français, ce fils dont elle rêvait, comme ta mère, qu'il devienne le Grand Écrivain. Proust et toi avez encore en commun l'extrême sensibilité artistique, la passion pour tous les arts, littérature, musique, peinture, la procrastination, le report indéfini du moment où vous allez vous mettre au travail, le tempérament inquiet en amour, la jalousie, la soif de possession, les fantômes qui s'emparent de votre imagination et ne vous laissent pas de repos. Et si Proust est le roi de l'analogie – de la mise en rapport des idées –, tu es, toi, le roi de l'allitération – de la mise en rapport des sons.

Mais il y a une différence rédhibitoire entre vous : l'argent. La thune, comme dirait l'autre. Proust en a suffisamment pour offrir un aéroplane à son chauffeur dont il est amoureux et passer sa vie dans sa chambre sans se soucier des moyens de la gagner, mitonné par Céleste aux petits soins pour lui. Matériellement il est libre, tandis que tu es contraint d'écrire ce stupide livre sur lui afin de pouvoir t'en sortir.

Ainsi passent les premiers mois de ton semestre sabbatique, jusqu'au moment où tu émerges de ta stupeur. Après la visite de ta sœur, peut-être, qui débarque un samedi à cinq heures alors que les enfants sont chez leur père. Tu dormais. Les joues non rasées, tu as l'air d'un ours. L'odeur âcre de cendre froide est suffocante. En un coup d'œil elle évalue la situation. Elle connaît. Le père de ses enfants, qu'elle a quitté, est un dépressif. Elle aère, elle range, elle lave la vaisselle, elle vide les cendriers, elle nettoie. Elle te fait à manger. Elle te force à prendre une douche. Elle te conjure de voir quelqu'un.

Tu vas mieux. Sans raison. Ton énergie revient avec le printemps. Quand tu te réveilles le matin, la journée ne t'apparaît plus comme un désert impossible à traverser. Tu recommences à sortir, à te promener, à téléphoner à tes amis et à dîner avec eux, à voir Christophe et Matthieu qui est rentré d'Italie.

Parce que tu vas mieux, tu trouves la force d'écrire au National Humanities Center de Caroline du Nord afin de demander une explication. Elle t'arrive par retour de courrier électronique, courtoise, aimable. Le directeur t'envoie en document attaché un résumé des trois rapports sur ton projet. Ils sont tous très positifs et parlent d'une « contribution majeure à la théorie du cinéma ». Si tu n'as pas obtenu la bourse, c'est uniquement en raison de l'absence d'une monographie publiée, qui a rendu ta candidature moins compétitive que celle d'autres jeunes chercheurs. Le directeur t'encourage à te présenter à nouveau l'an prochain et te rappelle que les lettres de recommandation sont valides deux ans.

Cette explication rationalise ton échec et en modifie la perception. Il n'y a là rien d'humiliant ni d'honteux. On reconnaît le mérite du projet. C'est encore le même obstacle incontournable qui se met en travers de ton chemin : le livre non publié, quatre ans après ta soutenance de thèse. Tu sais par moi, qui l'ai demandé à Benoît, que c'est la raison pour laquelle tu n'as pas obtenu d'entretien à NYU cet automne. Tu as gonflé ton CV de titres d'articles, de livres et de numéros de revue que tu appelles « *Books in progress* », « *Edited Volumes in progress* », mais en le regardant de près on s'aperçoit que, hormis quatre ou cinq articles, rien n'est publié ni même soumis aux maisons d'édition. Tu maîtrises la rhétorique – l'apparence. De plus en plus elle sert à dissimuler qu'il n'y a rien derrière, comme ces façades d'immeubles qui tiennent encore debout dans les pays en guerre et dont une bombe a réduit en ruine le reste. *Publish or perish* : la règle d'or de l'université américaine. Il n'y a pas le choix. Tu dois transformer ta thèse en livre et la publier, même si elle appartient à ton passé et que la simple idée de t'y remettre te donne la nausée. Tu viens de perdre cinq mois. Tu vas le faire.

Tu commences par écouter les conseils de ta sœur et de tes amies, qui t'ont toutes dit la même chose : « Va voir un psy. » On dirait une conspiration des mères. Véronique estime qu'il y a des nœuds qu'on ne peut pas démêler seul : si elle a aujourd'hui deux enfants sans avoir sacrifié son désir de créer, c'est grâce à l'analyse.

Sophie est convaincue que l'analyse lui a donné la force de brûler les ponts et de créer son label. Tu sais que je vois une psychothérapeute depuis deux ans parce que je crains ma violence quand je m'adresse à ma fille et que j'ai cherché un allié dans cette lutte contre moi-même : tu penses que j'ai bien fait. Quant à ta sœur, elle envisage de changer de voie et d'étudier la psychologie. Tu n'as pas beaucoup d'amis masculins qui voient un psychologue ou un psychanalyste, mais chacun sait que les femmes savent mieux se remettre en question que les hommes.

Toi qui es un grand parleur, tu n'as jamais eu envie de parler de toi à quelqu'un payé pour t'entendre. L'idée t'ennuyait à l'avance. Comment trouver un thérapeute dont tu n'aurais pas fait le tour en une demi-heure ? L'intelligence et la dérision se marient mal avec la langue de bois de la psychologie, avec les catégories, les étiquettes, les grilles d'interprétation, les discours tout faits. Tu as toujours été convaincu que tu pouvais t'en sortir seul, que tu étais assez lucide pour pratiquer l'autoanalyse.

Pour la première fois tu admets que t'échappe quelque chose qui ressemble à une structure et qui n'est pas seulement la faute des autres, le fait de l'égoïsme, de la méchanceté, de la folie, de la jeunesse ou de la fragilité des différentes femmes qui ont traversé ta vie. Les circonstances ont toutes abouti au même résultat : la rupture, l'échec. Pourquoi ?

C'est comme si, avec le temps, la répétition créait un sillon dans lequel tu t'enfonces. Tu as eu trente-huit ans en janvier. Il n'est pas trop tard pour tenter d'en sortir.

Tu demandes des noms de collègues à une amie psychanalyste. Tu prends rendez-vous. Le premier ne te convient pas. La deuxième te plaît. Tu en rencontres une troisième par acquit de conscience puis tu retournes chez la deuxième.

Lors de votre première entrevue, tu as éprouvé une confiance instinctive pour cette petite femme d'une soixantaine d'années aux cheveux gris coupés au carré, au menton fuyant et aux yeux vifs comme ceux de Nicolas. Justement, elle s'appelle Catherine : on reste en famille. Intellectuellement, tu la sens un peu limitée. Quand elle parle théorie, elle t'ennuie vite. Mais elle a une autre forme d'intelligence. Elle ne se laisse pas manipuler par toi, elle n'hésite pas à te contredire et te rabrouer. Tu as beau faire, elle ne cède pas à ta séduction. C'est cela qui t'a plu : qu'elle te remette à ta place d'une main ferme. Qu'elle te brusque.

« Qu'est-ce que c'est, cette façon d'arriver toujours en retard aux séances ? Vous transpirez, vous avez couru. Vous ne pouvez pas partir à l'heure ? Quatre heures, c'est quatre heures. Pas quatre heures dix. »

Tu te confonds en excuses. Après l'avoir quittée tu ris, seul dans le métro ou dans une rue de Paris, en te rappelant sa voix, son froncement de sourcils, ses gronderies. Elle est âgée, elle n'est pas belle, mais sa voix qui s'adresse à toi, son vouvoiement ont quelque chose d'érotique. C'est donc cela qu'on appelle le transfert.

Le jour où tu lui tends le papier que tu as fait signer à un employé de la RATP afin de prouver que ce nouveau retard est vraiment dû à un incident technique, elle secoue la tête :

« Thomas. On n'est pas à l'école. »

Elle te fait parler de ton enfance. Tu t'aperçois que tu n'as pas de souvenir avant six ans – avant le diagnostic et la vie communautaire dans le centre des Yvelines où tu as été soigné. Tu lui as raconté ton souvenir fantasmatique d'un amour adolescent et d'une jeune fille morte dans un accident dont tu n'arrives pas à savoir s'il a vraiment eu lieu. Tu comprends qu'à un niveau profond tu portes le deuil de l'enfant debout qu'après six ans tu n'as pas pu être.

En sortant d'une séance te remonte l'image de ton corps coupé en deux, le bas immobilisé à partir du ventre par l'énorme plâtre qui maintenait tes cuisses écartées, t'obligeait à rester allongé et te donnait l'air d'un centaure. Toute la semaine à attendre le samedi. Ton père déposant les piles d'illustrés et de livres que ta mère avait empruntés pour toi à la bibliothèque puis repartant en emmenant ta sœur de trois ans dont la place n'était pas dans un hôpital. Ta mère dormant dans un lit d'appoint installé à côté du tien. Vous passiez deux jours à parler à bâtons rompus et à rire. Elle te racontait sa semaine au bureau. Tu remarquais ses écharpes, ses nouvelles robes et ses chaussures, son parfum, ses coiffures. Ensemble vous attribuiez des surnoms aux gens de votre entourage : « Belle », c'était la jolie infirmière aux cheveux châtains et au sourire doux ; « The Sweep », la collègue de ta mère conne comme un balai (elle t'a expliqué que *sweep* voulait dire balayer en anglais) ; « La Bosse », le gardien bossu de votre immeuble ; le médecin que ta mère trouvait peu avenant : « Quasi », pour Quasimodo, un personnage d'un de ses romans préférés, qu'elle t'a lu à voix haute après *Les Trois Mousquetaires* ; le kiné gentil et benêt qui s'appelait Larue, « La Cruche ».

Quand on t'a ôté le plâtre, tes jambes blanches et fines comme deux baguettes n'avaient plus aucun muscle et tu as dû réapprendre à marcher comme un bébé, avec deux cannes, sur la grande plage normande proche du petit appartement que ton père avait acheté cet été-là pour ta convalescence et qui est devenu dorénavant le lieu de vos vacances, le plus souvent sans ton père qui travaillait à Paris ou voyageait ailleurs. Du retour à la maison, tu te rappelles surtout les scènes entre tes parents et les hurlements de ta mère, ou ces mots haineux sifflant entre ses lèvres quand elle se glissait sous tes draps au cœur de la nuit et te serrait à t'étouffer : « Il est encore avec sa pute ! »

Tu as été l'enfant couché, immobilisé, malade. L'année à l'hôpital, qui a noué ton lien avec ta mère et l'a séparée de ton père, a joué un rôle essentiel dans ta vie. Elle t'a transformé en grenade qui a fait exploser le couple de tes parents.

Ta psychologue prononce des phrases qui restent en toi après la séance et que tu notes dans ton carnet de moleskine :

« Vous débordez de vie pour échapper à la mort. »

« Il faut que vous parveniez à accueillir la douleur pour la transformer en création. »

« Vous êtes prisonnier du [ou], il faut que vous viviez le [et], être à la fois énergique, fort *et* fragile. »

Tu comprends : oui, la faiblesse fait partie de la force, et le doute de la création. Proust aussi avait la conviction de n'avoir aucun talent, de ne pas être un poète, d'être médiocre, de décevoir sa mère. Pour finir l'œuvre était en lui : il n'a plus eu qu'à accoucher d'elle.

« Vous rendez-vous compte de la violence avec laquelle vous interrompez ? En définitive vous niez l'autre. »

« Vous voulez tout choisir. Vous devez comprendre que la perte implique un choix pour devenir un gain. »

Alors que tu cites la célèbre phrase de Kafka, « la littérature est une hache qui brise la mer gelée en nous », elle t'arrête :

« Thomas, ne recouvrez pas vos mots à vous de citations littéraires. »

Elle te lit bien.

C'est elle qui, un mois après t'avoir rencontré, t'envoie consulter un psychiatre.

Le psychiatre se révèle plus manipulable. Il te donne des titres d'essais psychanalytiques et les séances se passent en discussions intellectuelles – ces discussions que refuse ta psychanalyste, qui a tout de suite remarqué ta tendance à te cacher derrière les mots des autres.

Après plusieurs visites pendant lesquelles il t'a questionné sur des décennies de ta vie et a pris des notes en inscrivant des dates précises que tu as eu bien du mal à retrouver dans ta mémoire, le psychiatre délivre un diagnostic : psychose maniaco-dépressive. On dit maintenant bipolaire.

Tu apprends qu'il s'agit d'une vraie maladie, mentale mais pas psychologique. Ce dont tu souffres depuis des années est un déséquilibre chimique. Le psychiatre compare cette infirmité au diabète. Pour les diabétiques, on sait ce qui manque dans le sang et qu'il faut compenser. Pour les bipolaires, on ne sait pas encore ce qui manque dans le cerveau : on sait seulement qu'il manque quelque chose, et l'on sait ce qui permet de le compenser. Il faut souvent un élément déclencheur pour que le mal, latent, explose. Dans ton cas les éléments ne manquent pas : les ruptures amoureuses ; la mort de ta mère il y a huit ans, qui a ravivé le traumatisme de l'abandon quand tu as passé un an à l'hôpital à l'âge de six ans.

C'est une maladie qu'on ne peut dire génétique, car on n'a pas encore trouvé le gène, mais que l'on sait héréditaire. Le psychiatre t'a interrogé sur tous les membres de ta famille paternelle et maternelle. Ses questions projettent une lumière révélatrice sur ta mère, sa joie folle, son exubérance, son hystérie, ses fureurs qui vous terrifiaient, ses crises, ses sautes d'humeur qui l'ont rendue invivable et qui ont conduit ton père à la quitter.

La maladie est traitable. Le psychiatre te prescrit du lithium et des antidépresseurs. Il faut augmenter progressivement la prise de lithium jusqu'à ce que l'on trouve la dose qui soit thérapeutique sans être toxique. Trop de lithium peut être dangereux, en particulier pour les reins. On avance progressivement en faisant des prises de sang chaque semaine. Il y a d'éventuels effets secondaires, parmi lesquels la prise de poids, le tremblement des mains, la perte du désir. Une fois qu'on a trouvé le bon dosage, le traitement permet de vivre une vie normale sous surveillance médicale. Il est incompatible avec l'alcool.

Tu vas à la Fnac des Halles acheter des livres sur cette maladie dont tu portes désormais l'étiquette. Page après page tu hausses les sourcils, stupéfait. Tu lis une description de tes symptômes. L'alternance de hauts très très hauts et de bas très très bas et qui durent des semaines ou des mois. La dépression jusqu'à l'hébètement sur de longues périodes, l'impossibilité de sortir de son lit, de bouger ses membres ou de prendre la moindre décision, le refuge dans l'alcool et la drogue pour arriver à survivre ; l'exubérance, l'enthousiasme, l'insomnie, la parole intarissable, la suractivité sexuelle et le goût de la promiscuité, les dépenses extravagantes et l'incapacité à gérer l'argent, les idées grandioses qui caractérisent la phase portant le nom clinique d'« hypomanie » ou de « manie » suivant son intensité, d'autant plus élevée que la dépression est plus forte, car la manie, selon certains psychiatres, serait un rempart désespéré contre la souffrance de la dépression. Tu lis que les bipolaires ont besoin d'un rythme de vie tranquille et régulier, d'un environnement familier, de stimulations modérées, et doivent éviter le décalage horaire qui accroît les problèmes de sommeil. Quand elle n'a pas été repérée plus tôt, la maladie explose souvent entre trente et quarante ans. Chaque phrase s'applique à ton cas. Tu découvres que tu n'es pas un être singulier, mais un cas. Et même un cas d'école.

C'est la maladie de Van Gogh, de Dickens, d'Hemingway, de Robert Schumann, de Brian Wilson des Beach Boys, de Syd Barrett de Pink Floyd, de Kurt Cobain, de Jackson Pollock, d'Edvard Munch, de Virginia Woolf et de Sylvia Plath. Et de Nina Simone.

Pourquoi tant de musiciens bipolaires ? La musique a-t-elle été leur tentative de survie ? Elle ne les a pas empêchés de se tuer.

Le taux de suicide est de vingt-cinq pour cent.

Grâce à ce nouvel éclairage, tu comprends après coup des phénomènes restés sans explication, comme cette humeur massacrante pendant ton voyage en Italie avec tes copains quand tu avais vingt ans : ton premier épisode dépressif. Le second c'était quatre ans plus tard, quand tu sortais avec Elisa. L'alternance des cycles explique la violence de la dépression qui t'a abattu à Reed et à Richmond ces dernières années, ainsi que l'exaltation fébrile, accrue par l'insomnie, qui t'a aliéné tant de gens. C'est la maladie, pas toi, qui a ruiné ta carrière. Le découvrir est un soulagement. Mais qui es-tu, toi, ballotté par des humeurs sans lien avec les événements de ta vie, comme un navire sans gouvernail voguant au gré des flots ? Que reste-t-il de toi derrière la maladie si même le goût des jeux de mots et des allitérations, lis-tu dans le livre d'un psychanalyste, pourrait être une des marques du cerveau bipolaire dans la phase d'hyperactivité ?

Deux fois par semaine tu vois ta psychologue et une fois par semaine le psychiatre, qui augmente progressivement le lithium. Pour l'instant tu ne sens aucun effet secondaire. Tu te soignes. Tu es enfin sur la voie qui va te permettre de sortir de la structure d'échec. Sur la pente ascendante. À cause de la dépression, tu n'as pas pu travailler du tout pendant ton congé sabbatique. Le poids de la thèse pas encore transformée en livre pèse sur toi. Tu n'as pas pu t'y mettre non plus au début de l'été, même quand tu as commencé à aller mieux, car tu as été sollicité par d'autres projets. Tu n'as pas rien fait. Tu as coédité avec une amie un numéro de revue sur David Lynch, un de tes cinéastes préférés, et traduit un article du critique Dudley Andrew : ton nom sera là, en page de garde, pour le prouver. Maintenant tu te sens capable de prendre le taureau par les cornes. En trois mois, à Richmond, pendant l'automne, tu vas écrire ton livre. Ce n'est pas impossible, malgré les trois cours que tu dois assurer. Tu es très isolé là-bas. Tu n'as pas d'amis sauf Evelyn, la mère du garçon mort. Tu ne vois plus Nora. Tu auras du temps à revendre.

La relation avec Nora est finie et tu as accepté son impossibilité, qu'elle soit due à la différence d'âge ou à la tragédie qui a marqué le début de votre histoire. À Paris, en avril, quand tu sors de ton hibernation, tu dînes chez Véronique et Alain avec une de leurs amies proches. Sylvie est grande et mince, elle a de longs cheveux châtains, un beau visage, des fesses un peu plates à ton goût, d'immenses jambes. Elle est sexy. Tu lui plais. Elle a dix ans de plus que toi mais dans son jean moulant, son petit tee-shirt et ses sandales à talon, elle ne fait pas son âge. Divorcée, mère de grands adolescents, elle est scénariste, et fille d'un cinéaste connu. L'entente entre vous est immédiate. Vos goûts sexuels concordent. Que tu sois bipolaire ne lui fait pas peur, même si elle est fragile : elle a traversé de grandes dépressions, elle connaît. Avec elle tu te sens renaître.

Début juillet tu vas au Festival international de documentaires de Marseille, que tu couvres pour le magazine de Sébastien. Pendant six jours tu dévores les films du matin au soir et te retrouves tour à tour au Vietnam, au Portugal, aux Philippines, au Chili, dans l'Arctique canadien et dans une chambre en France. Tu écris tes articles et les envoies à temps, tu passes tes nuits à festoyer. Tu ne t'es pas senti aussi en forme depuis longtemps. Sylvie te rejoint, vous découvrez ensemble la splendeur des calanques. Le reste de l'été, tu ne pars jamais plus de quatre jours de suite afin de voir régulièrement ta psychologue à Paris. Plus de virée dans le Sud-Ouest : la maison est vendue, et peut-être cela vaut-il mieux, car tu ne vois pas avec quel argent tu aurais payé les restaurants et les visites chez les producteurs de vin. Tu vas avec Sylvie chez vos amis communs dans la Creuse : le train vers le centre de la France ne coûte presque rien. Vous passez quatre nuits, quatre jours à faire l'amour et Alain t'informe avec un clin d'œil que vos cris résonnent dans la maison sonore : leurs enfants s'en sont inquiétés au petit matin et il a fallu les retenir de monter au grenier vous porter secours. Tu éclates de rire, sans honte. Ces cris, ce sont ceux de la vie. La maladie, la mort ne t'ont pas eu.

Tu viens me voir en Bretagne, un petit séjour de quatre jours qui est en train de devenir un rituel, et tandis que nous nous promenons sur les sentiers côtiers, tu m'annonces que tu as trouvé une psychothérapeute, que tu consultes un psychiatre, que tu suis un traitement, que tu es « maniaco-dépressif ». Le mot m'est familier, je l'ai souvent entendu prononcer à propos de mon père, qui a pris du lithium pendant des années. Je n'ai pas l'impression qu'il s'agisse d'une maladie grave. Mon père est irritable, dépressif, pas facile, il a des accès de rage pathologiques, mais ça ne l'a pas empêché de vivre, d'avoir une carrière, une femme, quatre enfants, une vie sociale. De toute façon, tu n'as rien de commun avec lui, qui n'a pas ton exubérance et ta joie. Malade ou pas, avec toi tout est plus vivant, tout de suite. Je suis heureuse que tu te soignes, que tu te sois pris en main. Tu es inquiet de ne plus voir ta psy à partir de septembre. Elle n'est pas favorable à l'idée de continuer les séances par téléphone. Elle sera là si tu as besoin d'elle, tu pourras toujours la joindre en cas d'urgence. Mais elle travaille déjà à votre « séparation ».

Mi-août c'est la rentrée universitaire, et tu dois repartir en Virginie où tu n'as pas mis les pieds depuis décembre dernier. Mais, deux semaines après ton arrivée, tu retourneras en Europe. À Marseille t'est venue une idée géniale : couvrir le festival de cinéma de Venise, la Mostra, pour le magazine de Sébastien. Tu feras d'une pierre quatre coups : passer quelques jours dans la Cité des Doges que tu aimes tant, voir des films gratuitement, avec une accréditation professionnelle – Sébastien n'a eu aucun mal à te l'obtenir –, enrichir ton CV d'universitaire et offrir à ta nouvelle amie un week-end d'amoureux dans une ville enchanteresse.

Tu souhaites éblouir Sylvie. En faisant des recherches sur internet, tu as trouvé un palace à un prix incroyable pour Venise et pour cette période : à peine plus que le prix d'un hôtel deux étoiles. Inouï. Il ne se trouve pas dans Venise même, mais sur l'île de la Giudecca, séparée du centre par un large canal. Le bateau-bus, le bateau de l'hôtel ou un taxi marin vous permettront de traverser l'eau à toute heure du jour et de la nuit. Ce sera un bonheur d'échapper à la foule des touristes, à la cohue des ruelles et de la place Saint-Marc, des cinémas de la Mostra et des restaurants bondés, pour vous réfugier sur votre île, dans votre chambre où un lit de taille royale accueillera vos ébats après un plongeon dans la piscine. Tu es ravi de pouvoir offrir ce luxe à ton amie à moindres frais. Tu vous vois déjà sur le taxi marin voguant vers San Marco, enlacés, ses longs cheveux emmêlés par le vent. Un peu kitsch, soit, mais tu n'as rien contre ce genre de cliché, et l'idée de pouvoir, toi prof de fac, jouir de plaisirs dignes de stars de cinéma et en faire cadeau à ton amoureuse t'enthousiasme.

Tu vas rater une semaine d'enseignement. Tu as eu du mal à le faire admettre au directeur de ton département, cet imbécile qui est toujours là à l'heure, qui ne manque pas un cours, qui n'est jamais allé à Venise ni à aucun festival de cinéma, qui croit que tu as tendance à confondre le travail et le plaisir, et qui estime qu'après le semestre de congé que t'a octroyé l'université la moindre des politesses serait de rester à ton poste. Heureusement le doyen des humanités est intervenu en ta faveur. C'est un homme intelligent, qui a compris que la présence d'un professeur de Virginia Commonwealth University à la Mostra de Venise représentait un honneur pour l'université. Début septembre, après deux semaines fatigantes de réinstallation pendant lesquelles tu as été porté par la perspective du voyage à venir même si le décalage horaire t'a empêché de dormir, tu t'envoles pour Paris où tu cueilles ton amie.

VI

Ô Mort ! Appareillons !

Dans ton appartement parisien où tu passes en coup de vent entre tes deux avions, une mauvaise surprise t'attend : la baignoire est jonchée de carreaux cassés et le mur moisi et fissuré dont ils se sont décollés menace de s'effondrer. Tu ne peux rien faire maintenant : tu dois partir pour Orly avec Sylvie. Il faudra t'en occuper de toute urgence au retour de Venise, afin que le problème soit réglé avant l'arrivée de ta locataire américaine dans dix jours. Il n'y a qu'une Américaine pour payer le loyer exorbitant que tu demandes par rapport aux prix du quartier, mais personne ne fait plus attention à la salle de bains qu'une Américaine.

C'est ce souci matériel, sans doute, et la pensée des dépenses supplémentaires qu'il va occasionner quand tu n'as plus d'argent, joints à l'excès de décalage horaire et de fatigue à force de traverser l'Atlantique dans les deux sens, qui pèsent sur toi dans l'avion vers la Sérénissime. Tu ne te sens pas bien dans le bateau de l'hôtel qui vous amène à l'île de la Giudecca, un trajet qu'il te faut encore payer cinquante euros quand tu croyais que le transfert depuis l'aéroport était compris. Il fait un temps radieux en ces premiers jours de septembre. Des gondoles glissent sur l'eau où scintille le soleil, des gondoliers en marinière rayée et petit chapeau noir rond, penchés sur leur rame, godillent avec énergie, et l'un d'eux chante des airs d'opéra à un groupe de Chinois élégants qui semblent savourer la prestation même si le soleil tape fort sur leurs têtes dépourvues de couvre-chef. Alors que Sylvie, appuyée au bastingage, expose au soleil de la fin d'été son visage à demi masqué par une large paire de lunettes de soleil, tu as une hallucination : tu revois ta mère lors de cet autre séjour à Venise huit ou neuf ans plus tôt, votre dernier voyage ensemble. Tu entends son rire, tu vois son bras, sa peau, comme si elle était debout près de toi. Et tu revois ce jour de juillet 1999, le cimetière d'Houlgate, tes béquilles, tu entends résonner ta déclamation devant la tombe ouverte : « Ô Mort, vieux capitaine, il est temps ! levons l'ancre ! / Ce pays nous ennuie, ô Mort ! Appareillons ! »

L'élégant bateau-taxi en bois verni de l'hôtel s'amarre au quai de la Giudecca, le marinier vous aide à en descendre, un groom avec une toque rouge galonnée de feston doré s'empare de vos valises et vous le suivez à travers des jardins aux buissons bien arrosés. Contrairement à ton attente, le palace n'est pas directement au bord du canal mais à l'écart, discrètement niché dans des jardins fleuris. Il n'a rien de spectaculaire. Un salon avec de lourds fauteuils en cuir est installé dans l'ancien réfectoire des moines où le jour pénètre à peine par d'étroites ouvertures, frais grâce aux murs épais. On vous conduit à votre chambre. Elle est vaste, mais sombre, et n'a d'autre vue que celle de la galerie donnant sur le jardin. Tu t'assieds sur le grand lit et tu reconnais la sensation qui t'immobilise.

L'accablement te guettait depuis plusieurs jours. Tu as fait tous les efforts possibles pour l'éluder, prétendant attendre avec impatience le mirage de Venise, ne cessant de répéter à ton amie, quand tu l'as retrouvée à Paris, que tu étais quand même un gentil garçon en plus d'un amant fougueux, et qu'elle avait beaucoup de chance que tu l'emmènes là-bas. L'hôtel n'est pas à la hauteur de tes espérances. L'éloignement de la ville, de la foule, le silence t'oppressent. En toute autre humeur, sans doute aurais-tu adoré son charme discret. Mais son isolement sinistre épouse exactement les contours de ton âme. Il n'y a même pas de piscine. Ce plaisir de nouveau riche n'est pas supposé combler les désirs des esthètes ayant choisi ce palace à l'écart.

Tu t'assieds sur le lit, le dos voûté. Tu n'as plus envie de te relever. Plus envie de voir aucun film ni de te promener dans les ruelles ou sur les quais. Pas envie non plus de faire l'amour. Ton désir est anéanti par les antidépresseurs que le psychiatre t'a prescrits pour accompagner le lithium pendant les phases d'humeur basse – ou tout simplement par la dépression, car les antidépresseurs ne semblent pas efficaces. Le jour suivant vous allez aux Giardini voir la Biennale d'art. Au prix d'un immense effort tu te traînes de pavillon en pavillon : rien ne retient ton attention, pas même l'exposition de Sophie Calle, « Prenez soin de vous », que tu étais si curieux de découvrir et que Sylvie explore avec enthousiasme tandis que tu fumes des cigarillos dans le jardin. Au dîner tu commandes une bouteille de vin, puis une deuxième, malgré les sourcils froncés de Sylvie, qui te demande doucement si c'est bien raisonnable. Le lendemain matin tu n'as pas la force de te lever. Elle va se balader seule. Quand elle rentre dans l'après-midi, elle te trouve hébété sur le lit, incapable de répondre à ses questions. Au pied du lit, deux cadavres de bouteilles. Elle prend peur. Elle décide de changer vos billets de retour, de contacter ta sœur. Vous rentrez à Paris deux jours plus tôt que prévu. Tu vas voir ton psychiatre. Il est hors de question que tu prennes l'avion dans trois jours pour retourner aux États-Unis. Tu en es physiquement incapable.

Tu sais qu'on t'attend. Les cours ont commencé deux semaines avant ton départ pour Venise et tu en donnes trois : un de langue, un de littérature, un de cinéma. Le psychiatre te signe un arrêt de travail. Tu envoies un e-mail au directeur de ton département pour le prévenir que tu es malade et tu joins en document attaché, sans traduction, le papier rédigé en français. Tu le mets devant le fait accompli : tu seras là dans trois semaines.

La première semaine, tu as encore ton appartement, où tu dois, de toute urgence, faire des réparations et du nettoyage. Il est encombré de tes centaines de livres dont tu n'as pas eu le temps de t'occuper en août et qu'il te faut emballer pour les porter à la poste. Comme au printemps dernier, tu restes au lit et te terres. Jour et nuit, tu dors. Tu te soûles de sommeil et de vin. Tu ne réponds pas au téléphone. Sylvie sans doute. Un après-midi la sonnerie est différente : l'interphone. Une fois, deux fois, cinq fois, dix fois. Tu ne bouges pas. Mais ensuite c'est à la porte d'entrée de ton appartement que l'on frappe avec insistance. Sylvie a dû profiter de quelqu'un qui entrait dans l'immeuble. Elle n'a pas l'air prête à renoncer. Tu te lèves en grognant, tu te traînes jusqu'à la porte, tu l'ouvres. Sur le seuil tu vois ta sœur, Sylvie et Véronique qui lèvent la tête vers toi, stupéfaites.

« Tu es là ? »

Tu leur as fait très peur. Inutile qu'elles s'expliquent, tu as compris. Toi aussi tu es content de les voir, ces trois femmes très chéries. Tu les accueilles dans ton antre. Tu les appelles « mes trois fées ». Tu leur dis : « Je vous aime. » Elles rient. Tant d'amour remplit ton cœur de joie.

La locataire va débarquer. Tu finis par appeler un plombier qui répare la fuite et te dit qu'il ne peut rien faire de plus tant que le mur n'est pas sec. Tant mieux : la dépense est remise à plus tard et tu as un argument légitime pour justifier le délabrement temporaire de ta salle de bains. Tu mets tes livres dans des cartons que tu scotches et ficelles tant bien que mal. Trente-deux paquets volumineux et lourds que tu portes un à un dans l'ascenseur, puis dans la voiture de Sylvie, puis de la voiture de Sylvie à la poste. Le postier les pèse et cite un montant de frais de port qui t'abasourdit : pour cette somme tu pourrais racheter toute une bibliothèque. Tu ne peux pas rapporter les colis chez toi où ta locataire arrive demain, et il n'y a pas la place chez Sylvie. Debout au milieu du bureau de poste, les trente-deux cartons à tes pieds dont certains se trouvent déjà, tu as un senti-ment de naufrage. « On va trouver une solution », te dit doucement Sylvie. Elle passe des coups de fil. Un de ses amis a une cave : vous les y portez.

Tu déménages, pas chez Sylvie dont les deux enfants adolescents t'ont à peine rencontré, mais chez ta sœur à Vincennes. Tu dors sur le canapé qui, ouvert, remplit le tout petit salon. Tu te réveilles chaque jour vers midi. Ton neveu et ta nièce sont à l'école ; ta sœur est au bureau jusqu'à sept heures du soir ; Sylvie travaille aussi, ainsi que tous tes amis. Tu es le seul à n'avoir rien à faire. Tu n'as pas d'énergie, pas envie de sortir. Tu ouvres une bouteille de vin. Tu bois. Un après-midi tu allumes le four à gaz dans la cuisine. Il suffirait d'avaler la boîte d'antidépresseurs, quelques somnifères en plus, et de placer ta tête dans le four. Pour être sûr de ne pas te rater, tu pourrais mettre un sac en plastique sur ta tête. Au dernier moment te retient la pensée de ta nièce de huit ans et de ton neveu de cinq ans qui te trouveront au retour de l'école. Il faut attendre d'être chez toi.

Le psychiatre a augmenté la dose de lithium et les antidépresseurs et la chape finit par se soulever, grâce aux drogues ou parce que le cycle de la dépression s'est achevé. Tu sors à nouveau de la maison. Un jour où tu déjeunes avec Véronique dans un café derrière l'Odéon, tu remarques quelques tables plus loin ton directeur de thèse, que tu n'as pas vu depuis deux ans. Tu te lèves impulsivement pour lui dire bonjour. Il te dévisage, étonné.

« Je suis Thomas ! Thomas Bulot ! J'ai fait ma thèse sur Proust avec vous à Columbia. »

Il secoue la tête :

« Désolé, monsieur. Vous faites erreur. »

Quand tu te rassieds face à Véronique, tu ne retrouves pas le fil de votre conversation. Les sourcils froncés, tu ne cesses de te demander comment cet homme que tu as fréquenté pendant des années a pu ne pas te reconnaître. As-tu changé tant que ça ? T'ignore-t-il délibérément ? Mais pourquoi ? Ce trou dans la logique de l'univers t'égare.

« Tu es sûr que c'est lui ? dit Véronique, l'air soucieux. Il a peut-être un sosie ? »

Tes propres yeux peuvent-ils te tromper ?

Fin septembre, tu es enfin capable de reprendre l'avion. Tu n'as plus qu'un désir : retrouver tes élèves, reprendre la seule activité qui t'ancre sur cette terre. Tu aimes enseigner, analyser des livres ou des films, partager ton émerveillement avec des filles et des garçons de vingt ans. À ton arrivée, la secrétaire t'apprend qu'on a embauché quelqu'un pour te remplacer jusqu'en janvier. Tu t'engouffres sans frapper dans le bureau du directeur et tu te penches sur lui en criant.

« Ce sont mes cours, j'en ai composé le programme, vous n'avez pas le droit de me les enlever ! »

Phil Miller essuie ostensiblement un postillon sur sa joue et recule sa chaise, comme effrayé. Il t'enjoint de te calmer. Au fond de ses yeux tu vois une lueur de satisfaction.

« Le règlement de l'université stipule qu'au-delà de trois semaines d'absence un professeur doit être remplacé. Vous avez manqué trois semaines et demie, Thomas. Croyez-moi, il n'a pas été facile de trouver quelqu'un alors que le semestre avait déjà commencé ! Ça m'a pris beaucoup de temps. Et votre absence prolongée coûte au département le salaire d'un lecteur.

— Mais je suis là ! Dites à mon remplaçant de partir ! Je veux enseigner !

— Le contrat est signé. Il n'y a rien à faire. »

Tu es libre, donc, pendant les trois mois qui viennent. Pas totalement. Miller t'a rappelé que tu devais assister aux réunions bihebdomadaires du département et accomplir des tâches administratives qui te contraignent à demeurer sur place. Pour le reste, ton emploi du temps est vide. À toi de le remplir.

C'est l'occasion ou jamais de produire ce manuscrit que tu devras remettre avec ton dossier pour ton évaluation de troisième année au printemps. La lettre d'un éditeur annonçant sa future publication ferait bon effet.

Ce n'est pas seulement que te manquent les livres laissés à Paris. Tu es incapable de t'asseoir à un bureau et de te concentrer. La simple pensée de remanier ton livre, de t'y replonger, évoque ton terrible hiver parisien.

Une nouvelle idée te vient : le publier en France. Le traduire en français ne devrait pas te prendre plus de trois mois et t'évitera de lire d'autres ouvrages médiocres sur Proust. Comment n'y as-tu pas songé plus tôt ? Tu as plusieurs amis, dont moi, qui ont publié leur thèse chez Champion. Les Français acceptent que des idées originales ne soient pas soutenues par un rigoureux appareil critique. L'essai, littéraire ou philosophique, est un genre français. Tu es français dans ta manière de penser et d'écrire.

Tu viens à New York en octobre pour un long week-end et te rends directement dans le loft où nous avons emménagé deux mois plus tôt. Il n'y a pas encore de murs intérieurs, les valises servent de placards et les caisses empilées délimitent les espaces, mais tu es ébahi. C'est un loft, un vrai, avec de très hauts plafonds, de l'espace : le rêve new-yorkais.

« Toutes ces fenêtres ! Cette lumière ! C'est magnifique ! »

Quand nous dînons en tête à tête ce soir-là, tu me racontes septembre et ton désir de suicide. Je n'ai pas l'air trop inquiète, pas même quand tu me dis avoir pensé à mettre un sac de plastique sur ta tête comme le père d'Alex pour ne pas te louper. Tu remarques mon imperceptible haussement d'épaules, comme si je te trouvais indécent d'oser te comparer à mon beau-père qui, lui, est passé à l'acte. C'est vrai que, vue de New York, de ce restaurant de Chinatown où tu dégustes un poulet au sésame dont tu trouves la saveur exquise, ta dépression de Venise ne paraît pas mortelle.

« Tu ne penses pas que c'est simplement parce que tu t'es retrouvé dans un palace désert sur une île isolée ? Rappelle-toi, Thomas : la bonne affaire, ça n'existe pas.

— Mais oui ! Tu as tellement raison. »

Tu me parles de ton évaluation du printemps et de l'idée qui t'est venue. D'ici trois mois, tu soumettras ton manuscrit en français à Champion.

« Proust et les classiques, ça devrait les intéresser, tu ne penses pas ?

— Si.

— Et puis il y a ce numéro sur New York que je vais

proposer à *Critique*. Avec un numéro de revue et un second livre en route, ça devrait aller, non ?

— Sans doute. »

Nous nous taisons. Il est clair que je n'y crois pas puisque je te demande tout à trac, d'une voix douce :

« Thomas, tu as pensé à un retour en France ? »

Tu tressailles. En septembre Véronique t'a posé exactement la même question après avoir vu le nombre de morceaux de musique que tu avais téléchargés sur l'iPod. Elle a compris ta solitude. Elle aussi pense que ta place n'est pas dans cette Amérique qui t'est si étrangère et que tu serais mieux chez toi, dans ton pays, entouré de tes amis, de ta famille, de ta psychanalyste et de ton psychiatre.

« Ma thèse est américaine. Je ne trouverai pas de poste en France.

— Tu trouveras autre chose. Tu es débrouillard, Thomas. Tu n'auras pas besoin de tant d'argent pour vivre puisque tu es propriétaire de ton appartement et que la sécurité sociale est gratuite. Toi et moi on est trop français, trop parisiens, pour vivre dans ces villes universitaires américaines. Je me rappelle comme j'étais déprimée à New Haven, et pourtant c'était à une heure et demie de train de New York. Ne reste pas à Richmond. C'est une erreur. Retourne en France. »

Tu hoches la tête. Mais un retour à trente-neuf ans, sans travail, ne serait-il pas la preuve de ton échec ? Où vivrais-tu ? Tu omets de me dire que tu es contraint de louer ton appartement pour rembourser l'hypothèque que ton découvert bancaire trop important t'a forcé à prendre l'an dernier.

Tu dînes avec nous chez Steven, un ami d'Alex qui vit dans ton ancien quartier d'Harlem. Son appartement a un long couloir en L dont les murs, du plancher au plafond, sont couverts de livres qui ont tous été lus. Vous riez et parlez aussi fort l'un que l'autre, et vous sympathisez. Dans le café près de Columbia où tu le retrouves le lendemain, il te raconte son histoire, qui t'inspire. À trente-huit ans, l'âge que tu as aujourd'hui, après un divorce conflictuel et dix années passées à tenter d'écrire LE grand roman de l'Amérique d'aujourd'hui, sa vie aussi ressemblait à un naufrage. Le salut lui est venu par l'immobilier, sur les conseils d'un consultant – à la fois coach professionnel, psychanalyste et gourou – avec qui il a longuement discuté. Il a choisi une niche où il y avait encore un peu de place : l'immobilier commercial. Sept ans plus tard il gagne bien sa vie et il a du temps pour écrire : il ne regrette pas son choix.

Une reconversion ? Pourquoi pas. Il te donne le numéro du consultant. Tu l'appelles. Tu prends rendez-vous pour ta prochaine venue à New York.

Sylvie te rejoint à New York pour une semaine de vacances fin novembre. Ton ami Sam, parti fêter Thanksgiving chez ses parents avec femme et enfant, vous laisse son appartement de Washington Heights sur la 196ᵉ Rue. C'est excentré et vraiment pas ton quartier préféré, mais tu disposes ainsi d'un logement indépendant et gratuit.

Avec l'accord de ton psychiatre parisien que tu as consulté par téléphone, tu as interrompu pour la venue de ton amie le traitement qui t'ôte tout désir. Tu l'attends avec inquiétude. La dernière fois que vous vous êtes vus, à Paris, au retour de Venise, elle a dû jouer le rôle d'infirmière. Au cours de l'automne vous avez échangé de nombreux e-mails à la teneur plus qu'érotique. Seras-tu à la hauteur de son attente ?

Vous passez votre nuit de retrouvailles à faire l'amour. Tu es rassuré. Ça marche encore. La tête de lit en bambou qui n'est pas fixée au sommier mais simplement posée contre le mur le cogne à chacun de tes coups de reins, les ponctuant d'un bruit mat qui doit troubler le sommeil des voisins puisqu'ils frappent au plafond à trois heures du matin. Tu ris.

« Pauvre Sam. Lui et sa femme, ça ne doit plus beaucoup baiser, dis donc. Sinon il aurait fait fixer cette tête de lit. »

Cinq jours à marcher dans New York du matin au soir, portés par l'énergie de la ville. Tu es le guide, tu veux émerveiller Sylvie qui n'est pas venue ici depuis plus de vingt ans. Tu l'emmènes dîner chez nous, heureux de lui montrer notre loft et la terrasse commune sur le toit où l'on peut boire du champagne et fumer sous les étoiles, devant les pointes colorées de l'Empire State Building et de la Chrysler Tower ; chez Steven, dans son appartement ancien près de Columbia, un vrai appartement d'écrivain américain ; chez un sculpteur qui organise un spectacle de danse avec des improvisations de jazz autour de ses œuvres dans son gigantesque loft de Soho, où tu te sens si bien après avoir descendu deux bouteilles de bordeaux que tu tentes de joindre tes gracieux entrechats à ceux des danseurs et te fais presque expulser par l'artiste furieux ; chez Tony, qui vit à nouveau à

New York où il a récemment obtenu un poste à Hunter College.

Comme d'habitude tu as voulu tout faire et tu nous as suivis chez Steven juste pour l'apéritif avant d'aller chez Tony célébrer Thanksgiving. Un verre succède à un autre, le temps de dire au revoir il est dix heures et demie et, après un long trajet en métro et une demi-heure de marche depuis la station, presque minuit quand vous sonnez à la porte de la maisonnette en brique tout au fond de Queens, une vraie maison de *kabantchik*, où Tony et sa compagne vous attendent depuis plus de cinq heures. Autant dire que tes plaisanteries sur les trois petits cochons ne les dérident pas. Tu ne l'as jamais vu si fâché. Une délicieuse odeur de viande rôtie embaume l'air : Tony a passé la journée à cuire la dinde à petit feu en l'arrosant régulièrement après l'avoir enrobée de gros sel pour garantir la chair la plus tendre possible. Elle est succulente, la colère tombe, un autre verre et tu t'endors, profondément, en pleine conversation. Dans le taxi qui vous ramène à Washington Heights à deux heures du matin, tu as les larmes aux yeux quand Sylvie t'apprend que Tony, pendant ton sommeil, lui a dit que tu étais gravement malade et qu'il fallait s'occuper de toi. Tu offenses Tony et c'est à toi qu'il pense ! L'émotion ne t'empêche pas de songer que le métier de prof est quand même misérable. Tu as envié Tony quand il a décroché ce poste à New York, mais voilà où il a les moyens de vivre : dans un coin éloigné de Queens qui est autant le trou du cul du monde que Richmond, comme en témoigne la somme faramineuse que te réclame à l'arrivée le chauffeur de taxi. Tu n'as aucun doute : il faut gagner suffisamment d'argent pour vivre où on le souhaite. Le lendemain tu vas voir le coach recommandé par Steven. L'homme te plaît. Il n'est pas vraiment psychanalyste, mais qu'importe : il a lu Lacan et Derrida, ses yeux pétillent d'intelligence comme ceux de Nicolas, et c'est la première fois que tu rencontres ici un psy que tu as envie de revoir. Tu prends rendez-vous pour ton prochain passage.

La veille du départ de Sylvie, tu dînes avec elle au restaurant quand ton téléphone sonne. Tu réponds ; ta voix monte, tu cries presque, tu raccroches brusquement. Sylvie te regarde l'air inquiet.

« C'était le directeur de mon département. Ce con ne retrouve pas le programme de cours que je lui ai envoyé et prétend qu'il ne l'a jamais reçu.

— Tu es sûr que tu devrais lui parler sur ce ton alors que tu as une évaluation au printemps, Thomas ?

— Ce n'est pas lui qui rédige le rapport, mais trois professeurs qui m'aiment beaucoup.

— Tu devrais faire attention.

— Aucun danger. Je suis ami avec le doyen qui est son supérieur hiérarchique et dont il lèche les semelles. Ce type, c'est une couille molle, un lâche, une ordure, un nul. Crois-moi, j'ai été poli avec lui. »

Quand tu rentres à Richmond, le souvenir troublant et presque fantasmatique de ta rencontre avec ton directeur de thèse à Paris en septembre te revient. Était-ce un sosie ? Son frère ? Tu crois te rappeler qu'il a une nombreuse famille. Le seul moyen d'en avoir le cœur net, c'est de reprendre contact. Tu lui écris une lettre où tu lui apprends que tu ne cherches pas de nouveau poste cette année car tu as été en congé maladie à l'automne, mais penses te remettre sur le marché l'an prochain et compteras alors sur son soutien précieux. En attendant tu lui transmets ton CV remis à jour et les rapports concernant ton projet sur Jean Mitry, afin de lui montrer que, même si vos chemins ne se croisent plus guère, professionnellement tu existes encore.

Tu écris au professeur d'Oxford rencontré à Bellagio un an plus tôt et lui demandes de bien vouloir t'envoyer son livre qui vient de paraître, afin que tu puisses en faire la recension pour la revue *Critique* où tu as tes entrées. Il te répond aussitôt et te remercie. Deux semaines plus tard tu reçois le livre.

Tu te sens porté par un vent vivifiant d'énergie et de désir. Tu as payé ton dû à la malchance. Tu es d'autant plus fier que tu es sorti de l'engrenage du malheur par ta volonté, en écoutant les conseils de tes amis les plus chers. Tu as tourné une page et, avec l'aide de la chimie, tu vas reprendre le contrôle de ta vie. Tu comprends ce que disait au printemps ta psychanalyste. La force, ce n'est pas de nier la faiblesse mais de l'accueillir en toi, et de savoir te faire aider.

Il est donc logique qu'à la mi-décembre, au croisement d'une rue, tu tombes sur une silhouette pâle et longiligne à la chevelure rousse qui n'est pas un sosie de Nora mais Nora elle-même. Vous vous arrêtez, saisis d'aphasie comme lorsque vous vous étiez rencontrés dans les allées de la bibliothèque deux ans plus tôt. Deux ans seulement, mais tu as l'impression d'un siècle, car une révolution s'est accomplie. Des deux côtés il n'y a aucune gêne, juste un pur plaisir à vous revoir et une évidence qui vous pousse à dîner ensemble le soir même. Au moment où tu l'as croisée dans la rue, elle venait de déposer son sujet pour le mémoire de fin d'études qu'elle va rédiger à partir de janvier. Il doit y avoir un destin, car, ce sujet, ce sont tes goûts musicaux qui l'ont inspiré : elle a choisi d'étudier la lutte de Nina Simone pour les droits civiques des Noirs américains. C'est avec toi qu'elle a entendu pour la première fois *Young, Gifted and Black, Why? (the King of Love is Dead)* ou *Mississippi Goddam* qu'elle connaît maintenant par cœur. Après le dîner, elle t'accompagne chez toi tandis que vous parlez à bâtons rompus. Vous vous quittez au matin, et le soir il est naturel de vous retrouver. Et tous les soirs qui précèdent ton départ pour la France.

Tu n'as pas le sentiment de retomber dans la gueule du loup, dans un brasier qui te consumera vivant. Ce n'est pas un retour à une vieille addiction mais un nouveau départ. Nora a mûri. L'étudiante qui se passionne pour la lutte politique et le combat avec ses démons d'une Américaine africaine n'est plus la fille de dix-neuf ans beaucoup trop tôt confrontée à la mort et traumatisée. Il y a dans votre amour une douceur inédite. Tu as presque le double de ses années ; vous venez de deux mondes sans rapport ; son petit ami est mort sans doute à cause de toi ; tu es malade. Malgré tout cela, malgré votre rupture définitive de l'année précédente, elle a éprouvé un tel bonheur en tombant sur toi dans la rue qu'elle a compris qu'elle ne pouvait pas vivre sans toi. Il n'y a qu'avec toi qu'elle se sent complète. Toi de même. Tu ne peux que lui ouvrir tes bras. Un amour comme celui que Nora et toi éprouvez l'un pour l'autre est une chose rarissime. C'est un amour consacré par la mort. Nora n'a pas vingt-deux ans, mais beaucoup plus. Le deuil l'a fait grandir très vite. L'amour que tu sens pour elle ne se réduit pas à une passion sexuelle. Il te suffit de regarder Nora, sa longue chevelure rousse, son visage de madone à la peau laiteuse, pour te sentir vibrant d'un amour qui habite chaque parcelle de ton corps et se suffit à lui-même. C'est un amour qui est don, un amour infini pour toute sa personne, pour son corps et son âme, un amour qui est à la fois désir et tendresse, *éros* et *agapè*.

Tu es embêté de tromper Sylvie qui ne le mérite pas, mais ces deux amours ne te paraissent pas contradictoires, car ils ne sont pas sur le même plan.

Tu passes Noël en France. Tu te sens merveilleusement bien. Tu te rappelles avec stupeur qu'en septembre, dans cette même ville, tu as voulu mourir. Tu fêtes le réveillon chez ton père et sa femme avec ta sœur et ses deux enfants – ta nièce précoce et ravissante dont chaque repartie te surprend par sa sagacité, ton neveu tendre et sensible qui te fait des câlins et te dessine des avions. Le jour de Noël, Sylvie et toi partez pour la Creuse où vous restez quatre jours chez Véronique, Alain et leurs deux adorables enfants dont elle a eu le dernier à presque quarante-cinq ans, un miracle aussi gracieux que sa mère. Débordant d'énergie et de joie, tu ne cesses de les faire rire. De retour à Paris tu dînes chez ton Bô et sa délicieuse Clare, tu revois leur charmant Cal bilingue et leur bébé aux boucles blondes. Tes trois petites familles françaises. Tu les adores. Tu admires ces femmes qui sont belles, qui travaillent à plein temps et qui sont de merveilleuses mères. Le 31 vous vous retrouvez tous pour une autre fête sublime chez un ami près du canal Saint-Martin. Tu prends l'avion sans t'être couché.

Arrivé à Richmond, tu vérifies tes mails et tu trouves un message de ton directeur de thèse, le premier depuis plus de deux ans. Il te rappelle sèchement que tu n'es pas le directeur de *Critique* et que les décisions concernant la revue ne passent que par lui. Quelle malchance ! Le professeur d'Oxford lui a écrit pour le remercier avant que tu aies eu le temps de soumettre ta proposition. Tu envoies aussitôt tes excuses à ton directeur et l'assures qu'il s'agit d'un malentendu : tu n'as rien promis et voulais lire le livre avant d'en proposer la recension à *Critique*. Tu relis ton message. Le ton humble et poli devrait sauver la mise. Tu ne peux pas te permettre de te brouiller avec un homme dont tu auras un besoin crucial l'an prochain. Tu cliques sur « Envoi ».

Tu es toujours le roi des gaffes, mais tu apprends à les réparer.

En attendant le retour de Nora qui passe les vacances chez ses parents, tu t'envoles pour New York. Tu as dégoté avant Noël un billet bon marché pour profiter de tes derniers jours de liberté avant la reprise des cours. À l'aéroport Kennedy tu empruntes l'AirTrain et à Howard Beach le métro, le cher vieux métro new-yorkais aux sièges jaunes, coincé entre une grosse mamma à lunettes et un jeune Black qui joue à des jeux vidéo avec une rapidité prestidigitatrice. Tu descends à Canal Street. Des Sénégalais murmurent des mots sur ton passage, Vuitton, Gucci, Cartier, et tu blagues avec ces gaillards francophones aux joues scarifiées qui gagnent leur vie en vendant à la sauvette des sacs et des montres de contrefaçon. C'est l'heure de la prière et plusieurs ont ôté leurs chaussures malgré le froid de janvier pour se prosterner sur des bouts de carton déchiré. Tu souris en te rappelant le nom qu'Alex a donné à ce coin de rue : la mosquée du Saint-Sac. Quelques pas plus loin, une vieille Chinoise en veste Mao matelassée, un long bâton sur l'épaule aux bouts duquel sont suspendus deux sacs en plastique, à qui il ne manque plus qu'un large chapeau pointu pour avoir l'air de sortir d'une rizière, fouille les poubelles devant un immeuble où les lofts se vendent à deux millions de dollars. La misère et le luxe dans la même rue, la vie grouillante, le mouvement incessant : New York.

Tu sonnes à l'interphone, prends l'ascenseur, frappes un petit coup et tournes la poignée. Je te crie de loin : « Salut Thomas ! » Le soleil hivernal inonde le plancher clair par les immenses fenêtres. C'est la troisième fois que tu entres ici, et tu penses à nouveau que l'argent achète la beauté. Le contraste avec ton dénuement a quelque chose de comique. Il faut trouver une solution, qui n'a qu'un nom : un autre emprunt. Avec tous les organismes de crédit qui existent aux États-Unis, tu vas finir par en trouver un. À Noël tu as demandé à ton père de te prêter de l'argent. Pour la première fois il a refusé. « Tu vas avoir trente-neuf ans dans dix jours, Thomas. Tu as un métier, un salaire : il est temps que tu fasses un budget, que tu t'en sortes. Tu ne peux pas toujours compter sur moi. » Tu n'as pas insisté pour ne pas l'inquiéter. Hier, à Richmond, tu as eu un choc quand tu n'as pas pu retirer cinquante dollars à un distributeur. Découvert trop important. Compte bloqué. Comment partir à New York sans un sou ? Mendier auprès d'Evelyn qui a déjà changé ses horaires de travail pour te conduire à l'aéroport et t'éviter le coût d'un taxi ? Tu as préféré t'adresser à moi : il y avait un problème technique avec ton compte, pourrais-je te prêter cent dollars ? Ce matin, en essayant à nouveau de tirer de l'argent, tu as découvert que ton salaire de la première moitié de janvier avait été versé. Après le paiement des différentes factures il ne reste rien, mais ce rien t'a quand même permis de retirer deux cents dollars sur lesquels il faudra que tu vives pendant les deux semaines qui viennent. Et ta carte de crédit fonctionne à nouveau.

Comment en es-tu arrivé là ? L'argent file, comme le temps. Les billets d'avion, de train, la vie parisienne, les séances de psy, les achats de livres et de vêtements, Venise en septembre, les cadeaux de Noël, la chaudière qui vient de retomber en panne, la locataire furieuse partie sans payer le loyer de décembre et en réclamant sa caution sous menace d'un procès, les restaurants, le vin que tu aimes bon, le champagne, les cigarillos…

Au restaurant chinois où nous dînons ce soir-là, nous évoquons nos problèmes matériels respectifs, les tiens dans ton appartement de Paris où tout se déglingue, les nôtres à New York où les travaux n'ont toujours pas débuté. Tu m'annonces que tu as commencé la traduction de ton manuscrit et que tu te sens bien. Tu ne prends plus d'antidépresseurs. La grande nouvelle, c'est que tu as revu Nora et que vous êtes à nouveau ensemble. Tu l'aimes. T'aime-t-elle ? Parfois tu crois que oui, et parfois non. Tout est toujours si compliqué avec Nora, qui est une enfant perdue. Si elle accepte de t'accompagner à Paris en mars, tu rompras avec Sylvie.

En sortant du restaurant sur Mott Street, nous traversons un parc où des Chinois jouent au go et remontons une petite rue quand tu pousses une exclamation joyeuse en remarquant son nom, aussi étonné que le narrateur proustien découvrant qu'on peut rejoindre Guermantes en passant par Méséglise. Tu ignorais que Baxter Street se trouvait dans Chinatown et si près de chez moi. C'est là qu'habite un vieux musicien de jazz que tu as entendu au Stone et qui doit te passer des partitions dont il est l'auteur. Tu me demandes de t'attendre cinq minutes.

« Maintenant, Thomas ? Il est onze heures. »

Tu ne connais aucun musicien de jazz qui soit couché à cette heure : le seul risque, c'est qu'il ne soit pas chez lui. Tu t'engouffres dans le petit immeuble à l'escalier étroit et quand tu redescends, dix minutes plus tard, tu me dis que le vieux musicien t'a fait attendre devant sa porte pendant qu'il enfilait son pantalon, se confondant en excuses de ne pas pouvoir te recevoir parce que sa femme dormait ; par la porte entrouverte tu as aperçu une pièce surencombrée de meubles et un lit où une forme volumineuse reposait sous les draps.

« On ne doit pas gagner beaucoup comme musicien de jazz, dis donc.

— Tu les as réveillés ?

— Sûrement, mais il était ravi que je passe : être au lit à dix heures avec les poules, sa vie ne doit pas être rigolote ! »

Arriver chez mon amie Rachel à minuit après avoir

récupéré ton sac chez moi ne pose par contre aucun problème : ça l'arrange, elle travaillait. Elle aussi habite un loft qu'elle a acheté il y a quinze ans, avant que les prix décuplent. Ses enfants et son mari dorment, elle t'a installé un matelas gonflable dans un coin du salon, si généreuse cette Rachel qui te donne l'hospitalité alors qu'elle te connaît à peine, et vous discutez autour d'une tisane – tu as opté pour un Laphroaig dix-huit ans d'âge après avoir remarqué la collection de bouteilles du mari. Rachel est comme toi : elle dort peu. Elle te décrit son futur livre sur la survie du désir dans le couple, et, même si les bouquins de psychologie ne t'intéressent guère, tu aimes la passion avec laquelle elle en parle, ses yeux qui pétillent et sa voix énergique, son accent belge et son septante qui remplace soixante-dix, tu lui poses des questions et bientôt ce n'est plus son livre qu'elle raconte mais son enfance à Anvers dans un milieu de Juifs survivants : tu la vois, vivace petite fille à couettes entre deux vieux parents originaires du même village de Pologne, tous deux rescapés d'Auschwitz et parlant dans un mélange de yiddish, de polonais, de flamand et de français de tel ou tel parent ou ami mort gazé, « *gassed* », dit-elle en utilisant le mot yiddish dont les sonorités germaniques te font frissonner, et tu comprends que ce n'est pas un hasard si cette femme qui a grandi sur les ruines d'un monde parti en fumée prêche l'épanouissement de la sexualité, car elle est certaine que l'érotisme est la force qui a permis à ses parents de survivre. Vous parlez de ta maladie aussi, elle sait de quoi il s'agit, elle te dit que c'est grave, que tu dois absolument suivre ton traitement et ne plus boire. Vous vous couchez, il est cinq heures, et deux heures plus tard tu entends ses fils adolescents se disputer tandis qu'ils préparent leur petit déjeuner avant de partir au lycée : une autre journée à New York commence. Tu fais une séance de yoga avec Rachel avant de manger des tartines d'un délicieux pain de seigle comme on n'en trouve pas à Richmond, tu lui demandes l'adresse de la boulangerie pour en rapporter plusieurs boules, puis elle te chasse, elle doit travailler, de toute façon tu as mille rendez-vous aujourd'hui.

Comme d'habitude ces quelques jours à New York sont un tourbillon d'amis et de rencontres avec quelques petites bulles de solitude ici et là, ces bulles qui sont l'essence du champagne et de ton nom, Thomas Bulot, alias la Bulle. Tu sillonnes la ville d'est en ouest et du nord au sud. Tu fais un tour au Strand, la grande librairie d'occasion du Village, d'où tu ressors avec des sacs contenant de nombreux livres dont une magnifique monographie de Mapplethorpe, une biographie illustrée de Nina Simone pour Nora et un ouvrage épais sur l'architecture des immeubles industriels de New York. Tu prends un café près de Columbia avec Steven qui est en train de devenir un vrai ami, un de ceux avec qui tu peux rire et parler de tout sans tabou, rare cadeau que te fait la vie pour tes trente-neuf ans. Tu déjeunes avec Tony qui te raconte ses soucis conjugaux et te dit qu'il a beau enseigner à New York, la médiocrité des étudiants le désespère, Tony qui te connaît si bien qu'avec lui tombent les masques et que tu peux lui parler de Nora. Tu entres dans le campus presque désert en ces premiers jours de janvier, tu salues la statue en bronze de l'Alma Mater couronnée de lierre avec un gros livre ouvert sur ses genoux, tu vas dire bonjour à la secrétaire de ton département dont l'accueil aimable te rappelle que tu es chez toi, puis tu frappes à la porte de la nouvelle directrice, et, même si elle est nettement moins chaleureuse que la secrétaire, tu repars avec le sentiment du devoir accompli car il est important de ne pas se faire oublier. Tu photocopies quelques articles de Maurras et Daudet à Butler Library avant de te rendre chez ton coach sur Riverside Drive à dix minutes de là, vous passez une heure à rire en parlant des garages et des restaurants que tu pourrais vendre ou du métier de barman dans un grand hôtel qui t'irait comme un gant, et quand tu lui signes un chèque – de cent dollars seulement, il te fait un prix – tu lui demandes d'attendre quelques semaines avant de l'encaisser. Dans un bar de Soho tu retrouves Benoît à qui tu confies ton espoir d'un futur poste à Johns Hopkins où tu as pris contact cet automne, et quand il te répète avec insistance de finir ton manuscrit, « Thomas, c'est la priorité », tu es touché qu'il se soucie de toi – touché aussi qu'il paie vos whiskys, quand tu n'as plus un sou et qu'il ne le sait pas. Tu vas voir *La Bataille d'Alger* au cinéma Anthology Archives tout en bas de la ville, retraverses Manhattan et Harlem pour dîner chez Sam dans Washington Heights, redescends toute la ville dans l'autre sens pour écouter Steve Bernstein avec Rachel et son mari au City Winery. Dans le métro tu relis *Le Temps retrouvé* que tu soulignes à tour de bras pour ta conférence de la fin février tout en écoutant John Coltrane, distrait par un vieux Black édenté qui chante Gershwin d'une voix puissante ou par une jeune violoniste asiatique qui porte un chapeau de père Noël.

Après deux nuits tu déménages chez Marianne au bout d'Alphabet City, tout près de l'Avenue D, autrefois l'avenue du crack. Alors que tu traverses Tompkins Square sous un ciel d'un bleu électrique sur lequel se détachent les formes nettes des immeubles et les branches nues des arbres, tu songes à ta chance par rapport à tous ceux qui sont coincés dans un bureau du matin au soir ou victimes de conflits géopolitiques qui les dépassent – les neuf dixièmes de l'humanité. Tu as deux jambes, un passeport et un visa, tu passes d'une ville à l'autre, d'un continent à l'autre et d'un ami à l'autre. Une vie de rêve. Au *deli* sur l'Avenue B où tu achètes une pomme, tu bavardes avec le caissier jamaïcain qui a commencé par vendre des fruits dans la rue trente ans plus tôt et qui a deux fils dont l'un étudie le droit à Fordham et dont l'autre est devenu ingénieur : ils sont sûrement plus riches que toi. Le parfait rêve américain. Soudain suspicieux, il te demande si tu vas l'interroger aussi sur ses grands-parents ; tu éclates de rire : « Pourquoi pas ? »

Ton sac déposé chez Marianne, tu fais le trajet en sens inverse pour me retrouver, à déjeuner puisque tu n'avais plus un soir de libre, dans un élégant restaurant de Soho où je t'invite pour ton anniversaire. À peine avalée l'exquise tarte Tatin où le maître d'hôtel a planté une bougie, tu me quittes : tu as rendez-vous avec une vieille poétesse roumaine rencontrée à une fête en octobre et qui habite dans Forest Hills tout au bout de Queens, une heure un quart de trajet et tu sonnes à la porte d'un pavillon avec un jardinet dans une rue bordée de pavillons avec des jardinets, et c'est elle qui t'ouvre, cette femme au physique fascinant, à la tête longue comme celle d'un cheval, aux grandes dents et aux yeux où brillent deux braises. Elle a quatre-vingt-quatre ans, elle fume comme un pompier et boit comme un soudard, et vous passez des heures dans son salon enfumé à fumer tes cigarillos et à descendre sa bouteille de Chivas tandis qu'elle te raconte sa vie, son statut de poétesse officielle du temps de Ceauşescu, son départ pour enseigner un an à New York, la mort sous la torture d'un ami chez qui elle avait laissé des poèmes faisant la satire du régime, sa défection et son nouveau statut de réfugiée. Vous lisez ses poèmes en roumain et dans la traduction française, tu trouves son écriture magnifique, toute sa personne t'émeut et tu n'es pas loin d'éprouver du désir pour cette femme âgée en qui se conjuguent la rigueur d'Ana et le rire de ta mère, et ce désir est partagé, tu le sens, sa main fripée caresse la tienne, ses yeux lumineux et rieurs se posent sur toi avec une tendresse qui est plus celle d'une femme que d'une mère, tu es en retard d'une heure pour ton prochain rendez-vous avec une ancienne copine de Columbia et ex-amante mais tu n'arrives pas à partir, tu as un mal fou à t'arracher à elle, quand tu t'en vas elle te donne deux de ses livres traduits autrefois en français et tu lui promets de revenir la voir à ton prochain passage.

Marianne, fatiguée, t'a demandé expressément de ne pas arriver après onze heures mais il est plus de minuit quand tu sonnes à sa porte après avoir grimpé les quatre étages en t'essoufflant parce que tu as trop bu au Smalls où tu es allé écouter un concert avec Tony et Sam, et tu trouves Marianne en larmes, affaissée sur elle-même, l'air d'une vieille femme soudain, plus vieille même que la poétesse. Sa fille adolescente vient de partir en claquant la porte pour aller dormir chez une copine, il est trop dur d'avoir une fille de seize ans à New York quand on n'a personne sur qui s'appuyer, elle travaille comme un forçat pour payer les droits d'inscription de l'école privée et lui offrir les jeans et les bottes de marque que portent ses camarades dont les parents sont riches, et pas un mot de gratitude, elle craque, elle a peur de ne pas s'en sortir, la photo rapporte si peu, il faut absolument qu'elle trouve un autre boulot. Tu sors la bouteille de Stolichnaya que tu as achetée pour remplacer celle bue lors de ton dernier passage une nuit où tu ne pouvais pas dormir – tu avais remarqué son air contrarié quand elle avait vu la bouteille vide au matin et tu as pris exactement la même –, tu vous sers deux petits verres, Marianne pleure sur ton épaule, il y a quinze ans elle avait un mari, une galerie dans Soho exposait son travail, elle était une jeune photographe au talent prometteur, elle et son mari avaient fondé une revue et connaissaient tous les artistes de *downtown*, ils étaient au cœur de cette scène-là, aujourd'hui elle se retrouve seule, plus de mari, plus de galerie, elle survit en photographiant des mariages et des pots de yaourt, elle est aux abois, dans le rouge à chaque fin de mois, et maintenant sa fille lui explose à la figure. Tu caresses les cheveux de cette femme qui a seize ans de plus que toi comme si elle était ton enfant, tu déposes de tendres petits baisers sur ses tempes, tu la consoles, ta pitié est assez grande pour accueillir son chagrin, et vers trois heures elle va enfin se coucher, épuisée, pour se relever une heure plus tard et te demander de baisser la musique dans le salon.

Tu finis par t'endormir à l'aube, heureusement car depuis une semaine tu as dû dormir un total de dix heures, mais ton téléphone t'extrait à onze heures d'un profond sommeil. C'est moi, mes appels précédents ne t'ont pas réveillé, on devait partir tôt ce matin pour traverser Brooklyn à vélo jusqu'à la mer en longeant Ocean Parkway à travers des quartiers hassidiques que tu avais très envie de découvrir, quand tu t'es couché tu as oublié de mettre ton réveil, ton corps est fourbu et tu ne te sens pas le courage de faire du vélo par un froid de zéro degré, de toute façon tu n'aurais plus le temps car tu as des rendez-vous et ce film sur Charlie Parker, *Bird*, que tu veux absolument voir. « Tu es un lâcheur, Thomas ! » Je suis déçue, je me réjouissais de passer quatre heures avec toi avant ton départ, et pour te racheter tu proposes de m'accompagner demain au vernissage d'une amie avant de t'envoler pour la Virginie.

Tu prends ton petit déjeuner avec Marianne à la table jaune de sa cuisine devant une fenêtre donnant sur des arbres aux branches nues, le soleil projette un éclat vénitien sur ses cheveux bouclés, cet appartement est merveilleux, il a un petit air européen, provençal presque, tu sais qu'elle et son mari l'ont acquis trente ans plus tôt pour vingt mille dollars et qu'il vaut plus d'un million aujourd'hui, ils ont de la chance les vieux New-Yorkais qui se sont trouvés au bon endroit au bon moment et qui ont pu investir dans l'immobilier, heureusement qu'elle a ça, c'est une poule aux œufs d'or, elle est d'accord, il lui permet de payer ses factures car elle loue une des trois chambres à un étudiant, celle où tu as dormi et qu'elle doit repeindre aujourd'hui avant l'arrivée du locataire après-demain. Tu l'aides à déplacer les meubles et à couvrir le sol de journaux, et tu vois par la porte ouverte l'autre chambre désertée par sa fille :

« Pourquoi tu ne laisses pas la grande chambre à ta fille ?

— L'autre est trop petite pour être louée.

— Mais pas trop petite pour ta fille ? On s'en fout du locataire, Marianne : s'il a un lit pour dormir, c'est suffisant. Ta fille, c'est la priorité ! »

Tu as croisé en octobre l'adolescente boudeuse qui porte encore des bagues, tu as senti son mal-être, sa difficulté à trouver sa place entre une mère qui n'arrive pas à joindre les deux bouts et un père qui les a quittées pour fonder une nouvelle famille, et tu n'as aucun doute : il faut que quelqu'un, sa mère, lui dise qu'elle passe avant les autres. Tu vois le visage de Marianne s'éclairer, cette idée ne lui était pas venue mais tu as raison, c'est cela qui doit mettre sa fille en colère, d'habiter encore sa chambre de bébé et de compter moins que les locataires, maintenant qu'elle y pense c'est une évidence, elle va lui donner la vaste chambre avec le grand lit.

Quand tu rentres chez Marianne vers deux heures du matin après un dîner bien arrosé chez des journalistes français à Brooklyn, tu n'as pas sommeil. Tu passes la nuit à lire le livre du professeur d'Oxford. Jamais ta pensée n'a été aussi claire. Au matin tu rédiges un message où tu pries une nouvelle fois ton directeur de thèse, dont tu es sans nouvelles, d'accepter tes excuses. Tu expliques que ta maladresse provient d'un désir anxieux de garder un pied en France, sans parler de l'estime que tu portes à la revue. Pour lui prouver qu'il n'y a personne de mieux qualifié que toi pour faire cette recension, tu joins à ton message un résumé dense de l'ouvrage de l'Anglais, dont tu parviens, en vingt-cinq lignes, à dégager les enjeux. Tu conclus en lui rappelant la différence avec ton propre livre, qui montrera ce que peut être une critique non réactionnaire de la modernité.

Cette synthèse est excellente, prête pour la publication. Ton directeur ne pourra que constater que tu es devenu plus précis, plus rigoureux.

Tu sors de chez Marianne après une tasse de thé, traverses l'East Village et passes me prendre pour que nous allions ensemble en métro jusqu'à l'Upper East Side où expose mon amie. Tu discutes longtemps avec elle, surpris d'apprendre que cette Libanaise de quarante-huit ans qui vient d'une riche famille de Beyrouth émigrée à Paris vit aujourd'hui dans un atelier du New Jersey sans salle de bains avec un musicien des rues noir qu'elle a réussi à sortir de son addiction à la drogue. C'est une fille gaie, libre, qui ne possède rien, qui ne se soucie pas du lendemain. Tu aimes ses grandes peintures, séries de taches très colorées qui ressemblent à des fleurs ou des arbres sur fond d'une ville sombre qui pourrait être New York. Elle passe plus d'une heure avec toi, séduite comme toutes les femmes à qui tu t'intéresses. Quand elle s'éloigne enfin, tu regardes les œuvres d'autres artistes inconnus exposées dans l'appartement et leur découvres à chacune des mérites. Le vin n'est pas mauvais, tu vides un gobelet de plastique après l'autre, étonné quand je te signale que tu as bu la bouteille à toi seul. Tu verrais bien dans ton appartement cette œuvre de mon amie représentant un cerisier en fleur qui te rappelle Van Gogh. Cinq mille dollars ? De l'art tout à fait abordable. Et ça lui permettrait de vivre pendant six mois dans le New Jersey avec son musicien des rues. Tu sors ton carnet de chèques et discutes avec le galeriste du transport en Virginie de l'œuvre encadrée. Quand tu lui demandes s'il serait possible de payer par mensualités, cent dollars par mois pendant quatre ans par exemple, il hausse les sourcils et te quitte pour parler à un client plus solvable.

Il reste quarante minutes avant ton départ pour l'aéroport et tu m'invites à boire un verre au bar du Gansevoort Hotel dans le Meatpacking District, l'ancien quartier des abattoirs devenu très branché. On prend un taxi pour traverser Manhattan d'est en ouest et du nord au sud. Tu es curieux de voir cet hôtel dont Nicolas t'a fait une description à baver d'envie après y avoir passé une semaine avec une amante en voyage d'affaires. C'est là que tu penses emmener Sylvie quand elle te rejoindra à New York en février. Au Gansevoort, le réceptionniste tout vêtu de noir à qui tu demandes s'il y a des promotions pour la Saint-Valentin te répond d'un ton hautain que l'hôtel ne fait pas de réductions. Qu'à cela ne tienne, le tarif de six cents dollars te paraît tout à fait raisonnable. Je t'arrête au moment où tu tends ta carte de crédit :

« Tu pourrais peut-être comparer avec d'autres ?

— Mais oui : tu as raison ! »

Nous partageons l'ascenseur qui monte jusqu'au bar avec un jeune couple élégant et tu te penches sur eux, très excité.

« Vous êtes clients ici ? Oui ? Comment sont les

chambres ? Grandes ? Les lits sont confortables ? Et les salles de bains ? J'aimerais inviter ma petite amie ici pour la Saint-Valentin. Mais j'y pense : vous pourriez me montrer votre chambre ? »

Ils sortent vite de l'ascenseur qui s'arrête à leur étage. Je ris.

« Tu leur as fait peur, Thomas. Dans un hôtel comme ça, demander à des clients si on peut voir leur chambre, ça ne se fait pas ! »

Tu fronces les sourcils, surpris, désorienté.

« Ça ne se fait pas ? Mais pourquoi ? »

VII

Toute ma vie n'est qu'un songe

Tu es soulagé quand Sylvie t'annonce qu'à cause de son travail elle ne pourra pas venir à New York en février : vous vous verrez en mars à Paris. Tu retournes à New York, seul, le week-end de la Saint-Valentin. Marianne t'a écrit pour te remercier de ton conseil – elle s'est réconciliée avec sa fille ravie de l'échange de chambres – et te dire qu'elle ne pouvait plus t'héberger car tes horaires irréguliers et vos discussions nocturnes ont eu raison d'elle : elle est tombée malade après ton dernier passage. En pleine débâcle conjugale, Tony ne peut pas te donner l'hospitalité. Tu as été déçu quand Rachel t'a répondu qu'elle ne pouvait pas te recevoir non plus mais ton nouvel ami, Steven, t'ouvre sa porte.

Tu vois moins de gens qu'en janvier. Tu passes une partie de tes journées entre les cloisons d'un petit bureau tranquille et isolé au sixième étage de Butler Library à préparer cette conférence que tu dois donner dans deux semaines à ton université. Tu as choisi pour thème un sujet que tu n'as pas traité dans ta thèse, « Proust et la guerre », et la comparaison qu'établit ton maître à penser entre stratégie militaire et stratégie amoureuse, son idée qu'il ne s'agit pas d'une science, que l'ennemi ne connaît pas davantage nos plans que nous ne comprenons les objectifs de la femme que nous aimons, t'intéressent suffisamment pour que tu retrouves le désir de travailler. Tu étais trop dispersé en janvier. Tu te sens plus calme.

Plus calme, mais fatigué. Tu la connais, la fatigue qui te tombe dessus alors que tu rentres à Richmond après ces quelques jours à New York. La conférence est prête, heureusement. Tu es capable de la donner, même si tu n'es plus tout à fait sûr du sens de tes idées. L'énergie te quitte. Enseigner t'épuise. En cours, tu imites le Thomas enthousiaste au prix d'un immense effort. Quand tu retrouves Nora le soir, tu es amer et pessimiste. Tu la vois se passionner pour le jeune candidat aux oreilles de Jumbo et au bon sourire qui soulève les foules en affirmant : « *Yes we can* », et tu as beau le trouver charmant, intelligent, encore meilleur orateur que Bill, tu hausses les épaules : il est évident qu'un Noir ne sera jamais élu aux États-Unis, et si par miracle le malheureux l'emportait, le lendemain de l'élection il serait transpercé de quarante et une balles comme Amadou Diallo. Voilà le monde dans lequel on vit, Nora. Nina Simone le savait : voilà pourquoi elle a quitté les États-Unis dans les années soixante-dix pour l'Afrique et l'Europe. Après quelques verres de whisky, tu ne penses plus qu'à la tentative de suicide de la chanteuse de quarante-trois ans abandonnée du monde dans sa chambre du Carlton à Londres, à ces trente-cinq somnifères qu'elle a comptés et avalés.

Nora passe de moins en moins souvent la nuit chez toi, prétextant son mémoire.

Tu débarques à Paris mi-mars, pour tes vacances de printemps. Tu as appris à reconnaître la bête : l'absence totale de désir de voir quiconque ou de faire quoi que ce soit, la seule envie de dormir et de boire. Tu as réussi à trouver un nouveau locataire pour ton appartement, Sylvie est partie pour quelque temps en province et tu ne peux pas habiter chez elle avec ses enfants lycéens. Tu t'installes à nouveau chez ta sœur, comme en septembre. Tu essaies de te faire le plus petit possible et de ne pas la réveiller la nuit. Quand les enfants partent à l'école le matin, tu dors. Autour de toi la vie continue, les gens vont au bureau, ils s'activent. Tu avais rendez-vous avec la veuve de Mitry venue de province pour te voir. Tu n'y vas pas, ne préviens pas, ne t'excuses pas. Tu reçois un message t'informant qu'elle te retire l'accès aux archives. Quelle importance ? Tu ne crois plus à ce projet. Tu sais bien que tu ne l'écriras pas. Tu l'as toujours su.

Ton corps, ton esprit sont devenus des masses difficiles à bouger. Tu donnes le change autant que tu peux. Tu te vois, à distance, en train de rire, de poser des questions, de faire semblant de t'intéresser, comme si tu assistais à un spectacle de marionnettes ou d'ombres chinoises, de très loin, d'un lieu sous-marin où tu vois s'agiter le monde sans entendre son bruit. Tu essaies de ne pas inquiéter ta sœur, qui a une vie suffisamment dure : salariée à plein temps, elle s'occupe seule pendant la semaine de ses deux enfants. Elle a une date limite pour un projet important qu'elle doit mener à terme, elle a peur de craquer et ne peut se le permettre. Ta présence est lourde dans le petit appartement où tu n'as toujours pas replié le canapé quand elle rentre à sept heures du soir avec les enfants et qu'il faut encore faire les devoirs et préparer le dîner. Tu comprends son agacement. Tu comprends Sylvie qui travaille à deux heures de Paris et ne rentre pas une fois te voir pendant ton séjour. Elle aussi doit se protéger : elle est fragile. Tes amis exercent des professions, ils sont mariés, ils ont de jeunes enfants, vivent dans de petits espaces. Personne n'a la place, mentale et géographique, pour ce poids inerte qu'est devenu ton grand corps. La veille de ton départ, tu dînes chez ton Bô qui habite en banlieue, et tu bois tant que tu es incapable de marcher jusqu'au RER à minuit. Tu t'effondres sur le lit d'un de ses fils parti dormir chez un copain.

Tu passes la nuit à boire dans la chambre d'enfant où le plancher est occupé par des Lego et des Playmobil. Tu es allé prendre la bouteille de gin dans le placard du salon. Quand Christophe entre te réveiller au matin, tu entends sa voix à travers un brouillard. Tu ne comprends pas ce qu'il dit. Tu n'es plus vraiment là. Comateux. La bouteille au pied du lit témoigne de ton activité nocturne. Ton ami alerte ta sœur, qui quitte son bureau en urgence. Elle te dit que tu ne peux pas retourner aux États-Unis : tu dois rester en France et te faire hospitaliser. Elle a une parole décisive, saine, autoritaire. Tu voudrais la rassurer, lui obéir, mais tu sais que ce n'est pas possible. Si tu abandonnes ton poste au milieu du semestre, si tu refais la même chose qu'en septembre un mois avant ton évaluation de troisième année, on ne renouvellera pas ton contrat. Tu n'as pas un sou de côté. Tu ne pourras plus rembourser tes dettes et l'hypothèque de ton appartement. Tu n'auras plus de lieu où vivre. Tu seras à la charge de ta sœur et de ton père. Tes diplômes sont américains, c'est là-bas qu'est ta vie professionnelle. Si tu perds ton emploi, tu n'en retrouveras pas d'autre : ta réputation sera faite sur les campus américains. Quant à la possible reconversion à laquelle tu songeais cet automne, c'est une blague : tu ne te vois pas vendre des garages ou des restaurants, ni préparer des cocktails au bar d'un grand hôtel. Il n'y a qu'une chose que tu saches faire : enseigner la littérature et l'histoire du cinéma. La seule issue, c'est de reprendre tes cours. Ta sœur appelle le psychiatre et prend rendez-vous pour toi de toute urgence. Elle lui demande de te convaincre de te faire hospitaliser. Tu convaincs le psychiatre que tu dois rentrer aux États-Unis : c'est le choix de la vie.

Tu pars contre l'avis de ta sœur, de ton père et de tes amis proches.

Dans l'avion, tu dors. Quatorze heures après ton départ de l'appartement de ta sœur à Paris, tu débarques à Richmond. Evelyn t'attend dans le petit aéroport. Elle t'ouvre grand ses bras, elle te serre contre sa grosse poitrine. « *Thomass ! Did you have a good flight ?* » Elle t'a acheté du lait, des céréales, des œufs, des fruits : une vraie mère. Tu es soulagé de franchir le seuil de ta maison. Ce sont tes meubles, tes affaires, tes livres, tes disques, tes *file cabinets* où tes centaines de documents sont classés dans un ordre alphabétique parfait. Chez toi. Tu n'es pas seul puisque tu as ton iPod et tes milliers de morceaux de musique. Ici il est inutile de faire semblant, de rassurer quiconque. Tu as eu raison de rentrer. Tu vas y arriver.

Début avril, il ne reste que trois semaines de cours. Mais les difficultés s'amoncellent. Il y a ces copies que tu n'as pas réussi à corriger pendant les vacances et que les étudiants attendent depuis février. Tu leur donnes un nouveau devoir, ils ne sont pas contents de ne pas connaître le résultat du précédent. Tu les rembarres vertement : tu as de multiples activités, des conférences à donner, un livre à écrire, des recherches à faire, tu es un professeur important, tu n'as simplement pas eu le temps. Il y a ce cours que tu donnes de neuf heures à dix heures du matin trois fois par semaine. Comment pourrais-tu te lever à huit heures quand tu as fini par prendre des somnifères à cinq heures ? Le réveil sonne. Tu l'arrêtes sans émerger de ton sommeil chimique. Tu rates le cours une, deux fois par semaine.

Ton imbécile de directeur te convoque : des étudiants se sont plaints. Ils t'accusent non seulement de manquer tes cours, mais aussi de ne pas les préparer, de te lancer dans des tirades incompréhensibles, de ne pas te soucier d'eux. Tu te défends. Tu aimes enseigner, tu communiques à tes élèves ton enthousiasme et ta passion de la littérature, tu sais qu'ils t'adorent. L'attaque ne peut venir que de quelques imbéciles sans imagination qui aiment les règles et les conduites carrées. Attaques sournoises, lancées par-derrière. Aucun d'eux n'est venu te faire de reproche face à face. Au cours suivant, tu te dresses : qui est le lâche ? Qui ? Qu'il ou elle se dénonce, celui ou celle qui t'a dénoncé ! Tu es à nouveau convoqué, cette fois chez le doyen, ton ami, qui n'a aucune parole amicale. Il te demande s'il est vrai que tu aies menacé de sanctionner tes étudiants mécontents. C'est un grief sérieux. Tu bredouilles, dénies, te justifies, lui expliques le contexte. Il ne sourit pas, ne te tape pas dans le dos en te demandant à quand le prochain match et la prochaine bière. Il t'avertit froidement de ne plus jamais menacer quiconque. C'est une faute pour laquelle tu pourrais être licencié. Tu as de la chance de t'en sortir avec un avertissement.

Tu quittes le bureau du doyen, la queue entre les jambes. Tu viens de perdre ta dignité et ton dernier allié dans la place.

Tu as remis ton dossier d'évaluation fin février, date à laquelle il était dû. Depuis, un des membres du comité, ton unique collègue de français, une Belge gentille, t'a écrit deux fois pour te suggérer, la seconde fois avec insistance, de demander un report de ton évaluation pour raisons médicales. Elle a deviné que tu avais été malade. Elle a sans doute compris quelle sorte de maladie : de celles qui stigmatisent, pour lesquelles on se contente de porter un doigt à sa tempe et de le tourner. *Dingo*. Ton dossier est trop faible, t'a-t-elle dit : il ne contient rien pour l'année précédente. Te présenter maintenant pour ton évaluation de troisième année, essentielle pour ton avenir ici, représente un risque trop grand. Tu as droit à un délai d'un an. Tu étais en congé sabbatique et tu n'as pas écrit ton livre parce que tu étais malade. Tu n'as pas enseigné à l'automne parce que tu étais malade.

Pour demander ce report, il te faut écrire avant le 16 avril au directeur de ton département. Tu dois justifier ta démarche en expliquant la nature de ta maladie. C'est le problème. Tu n'as pas le courage de parler de dépression et de traitement psychiatrique à un homme que tu méprises et dont tu sens l'hostilité. De plus, ce serait un suicide professionnel. Tu es lucide. Ta maladie deviendrait l'obstacle majeur à ta titularisation. Les États-Unis sont certes un pays où sont défendus les droits des minorités et des handicapés, mais où la notion de *liability*, de responsabilité juridique, est encore plus importante que celle de discrimination. L'université étant responsable de ses étudiants, comment les confierait-elle à un professeur atteint d'une maladie mentale au taux de suicide de vingt-cinq pour cent et aux épisodes psychotiques ?

Tu dois, pour ne pas perdre ton boulot, révéler une maladie qui te ferait perdre ton boulot. C'est ce qu'on appelle ici un *catch*-22.

Jour après jour le mois d'avril avance inéluctablement vers la date butoir du 16. Le 4 tu reçois par la poste un objet qui se fait rare : une lettre manuscrite. L'écriture est vaguement familière. Tu penses à ton directeur de thèse et l'ouvres avec empressement. Le courrier ne vient pas de lui, mais d'Eli, ton élève de Reed, avec qui tu n'as pas correspondu depuis deux ans et que tu avais presque oublié. Il te raconte sa rencontre avec une femme, te dit qu'il songe à commencer un doctorat de lettres, à New York sans doute, te demande si tu pourrais lui rédiger une recommandation, et t'annonce qu'un petit éditeur a offert de publier son mémoire sur la théorie du cinéma écrit sous ta direction. Il souhaite savoir si tu connais cet éditeur. Tu laisses tomber la lettre sur le comptoir de ta cuisine sans même la finir.

Deux jours plus tard tu reçois des e-mails de Sébastien, d'Alain Ripoli, de Tony, qui te posent la même question : « Thomas, tu as vu le blog de Stanley Fish sur Nicolas ? » Dès le premier message, tu as cherché sur internet l'article où le célèbre intellectuel américain fait l'éloge de l'essai que Nicolas a écrit cinq ans plus tôt et qui va bientôt paraître en anglais. Ce blog du *New York Times*, c'est, comme on dit ici, *a big deal*. Le nom de Nicolas s'inscrit maintenant sur la carte intellectuelle des États-Unis. Il y a une époque où cette nouvelle aurait accéléré les battements de ton cœur. Ce livre qui sort en anglais aurait dû être le tien. L'Amérique, c'était ta part. Tu la lui laisses. Tu t'en moques.

Tu as trente-neuf ans, l'âge auquel Proust a commencé à écrire la *Recherche*. Il avait déjà publié *Les Plaisirs et les Jours*, laissé *Jean Santeuil* inachevé, traduit Ruskin. Dans ton ordinateur il y a le titre du roman que tu aurais souhaité écrire : *Itinéraire d'un enfant raté*. Tu le vois, ce livre qui aurait été ta *Confession d'un enfant du siècle*. Le fichier ne contient pas une phrase. Tu as effacé toutes tes tentatives : médiocres. Tu aimes une femme qui croit parfois t'aimer, mais tu sais qu'avant l'été tu l'auras perdue. Tu avais un beau corps, grand, élancé, énergique. Il est maintenant lourd et empâté. Tout en toi pointe vers la mort.

Tu ne réponds plus au téléphone. Le répondeur se déclenche, tu entends la voix de ta sœur, de ton père ou de tes amis proches : « Thomas, s'il te plaît, décroche ! » Sébastien et Christophe ont des comptes Gmail comme toi, et, quand tu es devant ton ordinateur, une petite lumière verte s'allume dans la fenêtre « Chat » de leurs écrans à Paris : ils savent que tu es chez toi. Dans ta boîte mail les messages s'accumulent. Ta sœur, ton père, Sylvie, Véronique, Zeb, ton Bô, ton Wolf te supplient de leur répondre. Je t'envoie un message afin de te demander pour quels films je devrais réserver des places au festival de Tribeca où je souhaite t'accompagner dans dix jours. Tiens, tu l'avais oublié, ce festival que tu comptais en un temps couvrir pour le magazine de Sébastien. Quand tu le lui as proposé fin janvier, il t'a conseillé de te concentrer plutôt sur tes textes universitaires. Ce refus t'a vexé mais tu ne peux pas lui en vouloir : en septembre il a vainement attendu tes articles sur la Mostra. De toute façon tu n'aurais même pas pu te payer le billet jusqu'à New York. Tu es à nouveau à découvert. Tu t'es adressé à tous les organismes de prêt pour emprunter à n'importe quel taux et n'as reçu que des refus. Tu n'es pas solvable. Il y a bien l'argent de l'assurance-vie à laquelle tu souscris depuis deux ans, mais tu n'as pas le droit d'y toucher. Tu mourras sans rien en laissant quelque chose. Ironique.

Parfois, en cours, quand tu lis à tes élèves un passage de Proust ou de Flaubert, tu as un sursaut de vie. Il suffit qu'un éclat traverse l'œil de l'étudiant qui t'écoute, sensible à l'ironie ou à la beauté du texte. L'après-midi tu arrives encore à enseigner. Vous lisez des textes que tu leur laisses commenter. Tu poses des questions. Les étudiants américains n'ont pas peur de parler. Le temps passe. Puis tu sors de classe et marches vers ton appartement, sans même voir les collègues que tu croises.

Tu tiens la promesse que tu as faite à ta sœur d'aller voir un psychiatre. Tu as cherché un nom au hasard dans l'annuaire du centre médical de l'université. Tu as pris rendez-vous. C'est un Indien à la tête ronde, au ventre rebondi et à l'accent chantant, deux fois plus petit que toi. Quand tu lui dis que tu as arrêté les antidépresseurs à cause de l'effet sur ta libido parce que cette libido est ton unique raison de vivre, il ne te sermonne pas. Il t'apprend que le médicament n'était sans doute pas approprié et qu'il y en a d'autres. Il te donne une autre prescription. Il te rappelle qu'il est important de ne pas boire, que l'alcool est chimiquement incompatible avec ces médicaments, et non seulement annule leur effet, mais, combiné avec eux, risque d'aggraver ton état. Tu hoches la tête. Le soir même tu commences le nouveau traitement. Encouragé par Nora, tu n'ouvres pas de bouteille de vin.

En quelques jours à peine, tu te sens mieux. Ton humeur s'apaise. Il est dur, le soir, de ne pas te servir un petit verre, ou plutôt une série de verres, et de boire à la place de la tisane, du Schweppes ou du Coca-Cola. Quand tu auras repris un peu de force, tu recommenceras à courir. Mais au moins tu réussis à dormir et à te lever le matin pour faire cours. Un soir où Nora et toi regardez, assis sur ton futon côte à côte, le DVD de *Crimes et Délits* qu'elle n'avait jamais vu et qui reste un de tes Woody Allen préférés, sinon le préféré, avec ses merveilleuses phrases qui t'arrachent des larmes de rire (« *A strange man defecated on my sister* »), tu appuies sur le bouton « Pause » et lui demandes impulsivement si elle t'accompagnerait en France cet été. Tu lui offriras le billet, bien sûr. (Avec quel argent ? Ce n'est pas le moment d'y penser.) Elle répond, élusive, qu'elle doit y réfléchir. Sans doute se rappelle-t-elle le précédent voyage et sa fin ratée. Mais elle a dû remarquer le nuage qui traverse tes yeux car elle ajoute avec un sourire : « Pourquoi pas ? J'aimerais beaucoup revoir la France. » Gentille Nora. « On pourrait aussi aller en Italie », ajoutes-tu en passant la main dans sa chevelure de soie rousse. L'avenir paraît à nouveau possible. Il y aura un autre été. Nora habitera avec toi rue Léon. Vous retournerez manger un couscous aux Trois Frères et remplir un caddy au Kankan Koula. Vous ferez l'amour sur ta terrasse à la belle étoile au son de *Radiance* en contemplant le gros mamelon du Sacré-Cœur sur la colline de Montmartre. Vous irez en Normandie, en Bretagne, dans la Creuse, à Naples et Procida. Tu travailleras, tu écriras ce second livre. Et pour commencer il te faut demander le report de ton évaluation. Ta collègue a raison. Tu cours à ta perte en présentant ce dossier vide de contenu. Tu as été malade. La preuve, c'est que maintenant tu te soignes.

Le 15 avril, après un cours pendant lequel tu as retrouvé ta verve et fait rire tes étudiants, tu rédiges un mail. C'est la dernière minute, mais tu es dans les temps. Tu composes ton message précautionneusement. Tu expliques à ton patron que tu suis la recommandation unanime du comité parce que tu as été gravement malade, « *severely ill for part of the 2007-2008 academic year* », comme il le sait d'ailleurs, ajoutes-tu, puisque c'est la raison pour laquelle tu n'as pas enseigné à l'automne. Il serait injuste de t'évaluer maintenant étant donné que les étudiants n'ont pas pu noter ton enseignement à l'automne, ni au printemps dernier quand tu étais en congé sabbatique et que la maladie a ralenti l'achèvement de ton manuscrit. Ton message est poli, respectueux, professionnel, comme tu sais si bien les faire. Il ne contient pas une trace de tes sentiments à l'égard de ce directeur qui te poursuit de son animosité et qui se fait sans doute une joie d'enflammer les étudiants contre toi et de te calomnier auprès du doyen. Un clic, « Envoi », et voilà.

Il n'y avait rien de plus facile à faire. Tu ne comprends pas pourquoi tu ne t'y es pas résolu plus tôt. Tu sens un immense apaisement. Tu viens de t'acheter un an pour écrire ces quelques articles qui manquent à ton dossier, traduire ton manuscrit et l'envoyer à Champion. Un jeu d'enfant. Avec un tout petit peu de confiance et de temps retrouvés, tu en seras capable. Tu ne le pouvais pas parce que tu étais en dépression. La dépression est une vraie maladie. Tu as dit la vérité. Ce nouveau traitement, tu le sens, va te redonner ton pouvoir d'agir. En envoyant ce message, tu as choisi la vie.

Quand Nora te rejoint ce soir-là, tu es plus heureux que tu ne l'as été depuis des mois. Tu es tendre, enjoué. Tu la couvres de compliments amoureux et tu la fais rire tout en l'aidant à corriger une composition de français. Tu es redevenu Thomas. Nora est soulagée, elle qui avait envoyé un message pour appeler au secours tes amis, ta famille. Tu l'ignores, mais Véronique a rassemblé hier chez elle ta sœur, ton père, Sylvie et tes amis les plus proches pour une réunion de crise. Ces trois semaines de silence ont eu raison de leur patience. Ils sont tous trop inquiets. Ta sœur s'en veut de ne pas t'avoir forcé à te faire hospitaliser. Personne n'a de nouvelles de toi. Ils savent que tu n'es pas le correspondant le plus fiable. Tu ne réponds pas quand tu es débordé ou que tu n'es pas d'humeur. Ce n'est pas une première. Mais les autres fois, quand ta sœur multipliait ses messages exprimant son inquiétude, tu finissais par te manifester. Parfois, juste deux mots qui la rassuraient. « Ça va. » Cette fois-ci, rien. Seule la petite lumière verte de Gmail leur apprend que tu es en vie. Nora est leur source de nouvelles. Quand elle a passé du temps en France avec toi un an plus tôt, elle s'est liée d'amitié avec la copine du Wolf, et c'est à elle qu'elle écrit – qu'elle envoie des rapports que le Wolf transmet ensuite à la famille et aux amis. Lors de cette réunion de crise, une décision est prise : ton père va venir te chercher le week-end suivant. Pour ce faire, il accepte de renoncer à un séjour à Florence avec sa nouvelle femme prévu de longue date. Tes amis ou ta sœur ne peuvent pas partir, coincés par le travail ou les enfants. Ton père, à la retraite, est le seul disponible.

Mais un message arrive le matin même où il s'apprêtait à annuler son voyage et à acheter le billet d'avion pour la Virginie. Nora écrit que tu vas mieux. Il semble que la crise soit passée. Tu as fait cours hier et aujourd'hui ; tu as retrouvé de l'énergie, tu ne bois plus, tu es différent – ou plutôt, redevenu toi-même. Tu es allé voir un psychiatre et tu suis depuis trois jours un nouveau traitement.

Ta sœur sait que ce n'est pas suffisant. Tu es gravement malade. Il faut te rapatrier pour te soigner. T'hospitaliser en clinique pour te sevrer de l'alcool. C'est à cela que sert une famille. À ramener les siens qui partent à la dérive. Mais si tu as retrouvé un petit peu d'énergie, si tu prends tes médicaments, ce n'est plus une urgence absolue. Ton père peut aller comme prévu à Florence avec son amie et venir te chercher le week-end suivant.

Le 16 avril au matin, entre quatre messages d'organismes de crédit qui tous te refusent un prêt, tu reçois une brève réponse de Miller.

Cher Thomas,
Merci pour votre e-mail. Après mûre réflexion je pense qu'il est préférable, à ce stade, de poursuivre le processus. Je ne vois pas la nécessité de repousser d'un an votre évaluation. J'ai demandé au comité de me communiquer leur rapport. Je vous informerai des progrès du processus.
Cordialement,

Phil

Il rejette ta demande contre l'avis unanime du comité d'évaluation. Tu remarques qu'il a mis en copie les membres du comité et même le doyen, qu'il a donc nécessairement consulté avant de t'écrire.

Ces trois lignes sont une fin de non-recevoir. Le message est clair. L'université va profiter de ton évaluation forcément négative – ton dossier ne contient ni article, ni recherche, ni enseignement dans l'année écoulée – pour mettre fin à ton contrat. Pour t'éliminer.

Que ton patron ne laisse pas passer une telle opportunité de se débarrasser de toi, c'est naturel : il te hait. Mais le doyen ? Pourquoi suit-il ? À cause des récentes plaintes de quelques étudiants ? Parce qu'il ne veut pas de complications administratives ? Celui que tu croyais ton ami t'abandonne. C'est cette trahison que tu ressens le plus cruellement, même si tu peux la comprendre : il n'est qu'un homme et les hommes sont lâches, soucieux avant tout de leur petit confort. Ta maladie a dû lui faire peur.

De ce message tu ne parles à personne, pas même à Nora. Ce soir-là vous dînez comme prévu chez Evelyn pour regarder le débat entre Barack Obama et Hillary Clinton qui précède les élections en Pennsylvanie et tu participes à la conversation, tu réussis même à extraire de toi une ou deux plaisanteries.

Tu es entièrement seul. Dans un an, ou peut-être dès la rentrée prochaine, tu n'auras plus de travail. Il te sera impossible de retrouver un poste de professeur aux États-Unis. Même avec un doctorat de Columbia, et même si personne dans ton milieu professionnel n'apprend que tu es bipolaire. Deux ans à Reed, et ils ont embauché quelqu'un d'autre à ta place. Un an à Salt Lake City. Et enfin, un poste avec titularisation à la clef dans une petite université de Virginie. Mais voilà, ils décident après trois ans de ne pas te garder. Peu importe la raison. Les faits sont là. Les Américains croient aux faits. Les études littéraires francophones sont un tout petit monde. Personne ne courra le risque de t'embaucher. Au simple vu de ton CV, de ton parcours depuis que tu as quitté Columbia, les universités ne t'accorderont pas d'entretien. Tu es un paria. Dans ce marché du travail saturé, il y a plein de jeunes thésards brillants sortant de grandes universités et avides d'obtenir un poste n'importe où pour gagner leur vie. Tu vas sur tes quarante ans. Pour toi, c'est foutu.

Comme si ce n'était pas foutu depuis toujours. Comme si cet imbécile avait un quelconque pouvoir sur toi. Comme si tu t'en souciais, de ce poste de fac minable, de la persécution de ce minable, de toute cette politique minable. Comme si tu ne savais pas depuis longtemps qu'ils te jetteraient dehors.

Tu vas rejoindre ta condition authentique. Clochard dans le métro et sous les ponts de Paris. Quelle comédie.

Remonte à ta mémoire ce passage du *Côté de Guermantes* où Proust écrit, à propos de sa grand-mère, que la mort élit domicile en nous longtemps avant de nous tuer, et que pendant ces années elle se fait connaître de nous comme un voisin ou un locataire « liant ». Ce n'est pas d'aujourd'hui que tu sais que tu vas mourir. Tu le sais depuis toutes ces années où la mort est venue habiter chez toi. Sans la voir, tu as eu le temps de te familiariser avec l'étrangère que tu as entendue aller et venir dans ton cerveau. Il est arrivé que tu ne l'entendes plus : tu as pu croire qu'elle avait déménagé, espérer qu'elle était partie pour toujours. Mais non, elle était juste en vacances. Elle est revenue.

Il n'y a pas d'échappatoire. Grâce à Nora tu viens de connaître un répit, mais tu sais bien qu'il n'y aura pas d'autre été : tu ne pourrais même pas lui offrir ce voyage. Toute ta vie depuis ta naissance n'est qu'une ligne tendant à ce moment-là. Tu finis exactement où tu devais finir, dans un petit appartement donnant sur les murs du campus de l'université qui te congédie comme un laquais. C'est l'aboutissement de ta trajectoire. Avoir passé outre ta fierté et ta désillusion, avoir fait semblant de croire et vouloir vivre, pour formuler une dernière demande qu'on vient de te renvoyer comme un boomerang. Tout se tient, avec la nécessité et la beauté d'une équation mathématique. Les dés sont jetés. Depuis des années tu es en sursis. Depuis ton départ aux États-Unis, peut-être. Si tu as quitté ton pays, n'était-ce pas pour préserver celles qui t'étaient les plus proches, ta mère et ta sœur ? Toutes ces années, tu t'es caché. Tu as enfin atteint la simplicité qui permet d'accomplir le geste. *Yes you can.* Tu es en paix. Tu ne te révoltes plus. Tu n'as plus peur. Tu te prépares. Cela va avoir lieu. Tu as chez toi tous les cachets nécessaires, auxquels tu ajouteras le sac en plastique sur la tête pour ne pas te rater comme Nina Simone.

Tu continues à enseigner. Tu t'arraches même à ton lit pour assurer le cours du matin, le dernier du semestre, même si cela n'a plus aucune importance. Cela en a pour les étudiants. Tu tentes de donner le change, d'être normal, de ne pas inquiéter Nora ou Evelyn. Quand tu apprends que Nora a obtenu le prix du meilleur mémoire de fin d'études, tu te réjouis sincèrement. Tu la félicites, tu lui dis que tu es fier d'elle, que vous le célébrerez dignement ce week-end. Elle te remercie, elle sait ce qu'elle te doit, elle est heureuse de te faire honneur. Le prix s'accompagne d'un chèque de sept cents dollars qui, ajoute-t-elle avec un sourire, lui seront utiles si elle vient en France cet été. Pendant ces quelques jours tu es calme, doux. Tu fais un peu de nettoyage. Tu effaces de ton ordinateur les documents à contenu personnel, tu jettes dans une poubelle à quelques rues de chez toi les journaux que tu as tenus irrégulièrement au cours des années, autrefois dans des cahiers à reliure carton-née, maintenant dans des carnets de moleskine. Dans la rue tu sifflotes. Tu n'es pas sombre. Tu n'es plus là. Tu n'as pas répondu au directeur de ton département.

Tu n'as pas écrit aux membres du comité d'évaluation. Eux non plus ne t'ont pas écrit.

Tu relis Bossuet. Tu soulignes certaines phrases.

« La mort n'a pas un être distinct qui la sépare de la vie ; mais elle n'est autre chose, sinon une vie qui s'achève. »

« Ô mort, [...] si l'homme s'estime trop, tu sais déprimer son orgueil ; si l'homme se méprise trop, tu sais relever son courage ; [...] tu lui apprends ces deux vérités, [...] qu'il est méprisable en tant qu'il passe, et infiniment estimable en tant qu'il aboutit à l'éternité. »

« Que la place est petite que nous occupons en ce monde ! si petite certainement et si peu considérable qu'il me semble que toute ma vie n'est qu'un songe. »

Il faut finir avec plaisir. Tu te rends au magasin d'alcool sur Main Street, ouvert jusque tard dans la nuit, que tu as si souvent fréquenté à des heures indues que le vendeur est presque devenu un ami, heureux de voir ce grand Français bavard qui vient lui tenir compagnie et le faire rire. Il t'appelle par ton prénom, qu'il prononce avec l'accent sur la première syllabe et le *s* final, comme tous ici : Thomass. Tu achètes deux bouteilles de Veuve Clicquot avec tes cinq derniers billets de vingt dollars. Le 21 avril, tu dis à Nora que tu ne pourras pas la voir ce soir-là. Tu as des copies à noter de toute urgence puisque c'est la fin de l'année scolaire et qu'il faut rendre les bulletins. Tu la retrouveras demain après-midi au cocktail du département au cours duquel elle recevra son prix.

Tu ouvres une bouteille de champagne, tu le verses en inclinant la flûte. Il est frais contre ton palais, pétillant, exquis. Tu t'assieds sur le futon qui te sert de canapé dans ton salon. Tu allumes un cigarillo, tu mets les écouteurs de l'iPod. La voix mélancolique de Billie résonne dans tes oreilles. *Blood on the leaves / and blood at the roots, / Black bodies / swinging in the southern breeze...* Tu les vois, ces corps de Noirs qui se balancent au vent comme des noix de coco. Tu corriges les devoirs, tu les notes. Il n'y a pas de raison que tes étudiants pâtissent de ta disparition. Ils ont travaillé, tu leur dois une reconnaissance. Tu avales les somnifères avec un verre d'eau. Tu continues à boire et à corriger tandis que les notes des *Variations Goldberg* éclatent comme des bulles d'une pureté cristalline. Quand tu sens ta bouche devenir pâteuse et tes yeux se fermer, tu mets le sac en plastique sur ta tête. Les copies des étudiants sont toujours sur tes genoux.

ÉPILOGUE

Il n'y a aucun rapport entre toi et celui que nous avons vu dans le cercueil aux pompes funèbres de Richmond, les cheveux lisses et peignés vers l'arrière comme tu ne les avais jamais coiffés, et le bas du visage épaissi, enflé. Tu étais peu reconnaissable hormis l'arche des sourcils.

« Le système cardio-vasculaire s'est effondré : il a fallu tout reconstruire. C'est ce qui explique l'enflure au niveau du cou. Pour le reste, vous remarquerez que c'est parfait. On a assigné à la tâche un de nos trois meilleurs gars : il a fait du bon boulot. »

L'employé des pompes funèbres a croisé les mains devant sa poitrine, grave et obséquieux, l'air satisfait. Ta sœur, Sébastien et moi avons échangé un regard. Pas même un sourire. Juste un regard halluciné. « *One of our top three guys* » : ce sont les mots qu'il a prononcés, ses premiers mots de condoléances au père et à la sœur.

Ta sœur m'a demandé si je voulais parler à l'église. J'ai répondu non. Je ne pouvais pas m'adresser à un cercueil et dire « tu ». « Tu » n'existe plus.

Maintenant je ne peux dire autre chose que « tu ».
« Il » est trop distant, comme si je parlais de toi à un
autre. « Il » te tue encore un peu plus.

Qu'est-ce qu'un portrait ? Les ignorances comblées
par la fiction fausseront-elles celui-ci ? Entendra-t-on ton
rire ? Verra-t-on comme je la vois la courbe de ta vie,
cette ligne qui prend un grand tournant quand tu pars
à vingt-trois ans aux États-Unis et qui, telle une voiture
de sport, fonce vers un mur contre lequel elle va se fra-
casser ?

Mon sentiment pour toi a changé – pas depuis ta mort
mais avant, après ta lecture de mon texte sur notre amitié, après ces mots que tu as prononcés d'un ton plus
triste que dégoûté : « Tu sais, Catherine, les gens ont
quand même une vie intérieure. »
Sur le moment j'ai encaissé, un sourire en coin. Blessé,
il fallait que tu me blesses. C'était de bonne guerre. Mais
ta petite phrase a pénétré en moi, elle y a déposé un
germe, elle allait y faire son chemin.

La tendresse, la vieille tendresse d'autrefois, avait commencé avant ta mort à remplacer l'agacement. J'ai eu
le temps de penser que tu étais redevenu mon meilleur
ami. J'ai eu le temps de sentir que tu me faisais à nouveau confiance. S'il faut nous comparer, j'ai eu le temps
de comprendre à quel point je t'étais inférieure, avec
mon esprit rationnel et pratique. Mais au moins, je fais :
la page blanche ne m'arrête pas ; je n'ai pas peur de la
médiocrité. J'ai eu le temps de me rendre compte qu'il

n'y avait aucun ami que j'aimais davantage, personne qui me fasse me sentir plus vivante, et que cela était dû à quelque chose d'exceptionnel en toi qui t'illuminait.

Le rire.

C'est cela que j'ai pensé à l'instant où mon frère m'a appris ta mort : qu'il y aurait moins de rire sur la terre.

REMERCIEMENTS

Ma gratitude à Hilari Allred, Véronique Aubouy, Sylvie Brély, Antoine Compagnon, Teresa Cremisi, Rosine Cusset, Luciana Floris, Antoine Gallimard, Anne-Lise Gastaldi, Denis Hollier, Tristan Jean, Matt Kessler, Ben Lieberman, James Marquand, Paola Mieli, Maria Muresan, Esther Perel et Catherine Texier.

Un immense merci à mes premiers lecteurs, Olivier Czyglick, Mylène Abribat, Myriam Akoun, Caroline Tobianah pour leur soutien et leur franchise, Charles Kermarec pour ses judicieux coups de ciseau, à mon éditeur, Jean-Marie Laclavetine, pour ses réglages minutieux et son infinie patience une nouvelle fois mise à l'épreuve, et à mon dernier lecteur avant la remise du manuscrit, Vlad Jenkins.

Composition : Nord Compo.
Achevé d'imprimer
sur Roto-Page
par l'Imprimerie Floch
à Mayenne, le 1ᵉʳ septembre 2016.
Dépôt légal : septembre 2016.
1ᵉʳ dépôt légal : juin 2016.
Numéro d'imprimeur : 90037.
ISBN : 978-2-07-268820-1 / Imprimé en France

311032